CINCO MENINOS, CINCO RATOS,

Edição apoiada pela Direção-Geral do Livro, dos Arquivos e das Bibliotecas / Portugal

CINCO MENINOS, CINCO RATOS,

GONÇALO M. TAVARES

MITOLOGIAS

PORTO ALEGRE · SÃO PAULO
2019

Copyright © 2018 Gonçalo M. Tavares
Edição publicada mediante acordo com Literarische Agentur Mertin, Inh. Nicole Witt, Frankfurt, Alemanha

CONSELHO EDITORIAL Gustavo Faraon e Rodrigo Rosp
CAPA E PROJETO GRÁFICO Luísa Zardo
PREPARAÇÃO E REVISÃO Rodrigo Rosp
FOTO DO AUTOR Alfredo Cunha

Dados Internacionais de Catalogação na Publicação (CIP)

T231c   Tavares, Gonçalo M.
           Cinco meninos, cinco ratos / Gonçalo M. Tavares — Porto Alegre :
       Dublinense, 2019.
       224 p. ; 19 cm.

       ISBN: 978-85-8318-118-7

       1. Literatura Portuguesa. 2. Romances Portugueses. I. Título.

                                          CDD 869.39

Catalogação na fonte: Ginamara de Oliveira Lima (CRB 10/1204)

Todos os direitos desta edição reservados à Editora Dublinense Ltda.

EDITORIAL
Av. Augusto Meyer, 163 sala 605
Auxiliadora • Porto Alegre • RS
contato@dublinense.com.br

COMERCIAL
(11) 4329-2676
(51) 3024-0787
comercial@dublinense.com.br

1. **As avestruzes e o peso**
2. **O Comboio, a Avestruz e Ber-lim — três amigos**

Ber-lim, a Avestruz, a Velocidade, o Comboio

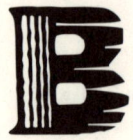

1. As avestruzes e o peso

As avestruzes têm cerca de dois metros e meio de altura e cento e quarenta quilos de peso. Não se tem essa noção. São uns bichos enormes. Quando levantam totalmente o pescoço ficam a uma altura de dois metros e meio; mais de meio metro, portanto, acima da cabeça de um homem muito alto. As avestruzes são as maiores aves do mundo e os seus ovos pesam, em média, um quilo e meio; um quilo e meio é mais ou menos metade do peso de um bebé. O peso enorme das avestruzes impede-as de voar, apesar de terem asas. As avestruzes correm a grande velocidade e quando correm utilizam as asas para se equilibrarem e para direccionarem a corrida, como se fossem um leme. Chegam aos setenta quilómetros por hora. Em cada pata têm dois dedos fortes e podem pontapear com uma certa violência animais que as ataquem. Mas, em definitivo, é o bico das avestruzes a parte mais perigosa e ameaçadora. Está provada a existência, no passado, de aves semelhantes às avestruzes mas ainda maiores — com cerca de três metros e pesando duzentos e cinquenta quilos.

2. O Comboio, a Avestruz e Ber-lim — três amigos

Ber-lim leva atrás de si a Avestruz que acabou de comer parte do cérebro da Mulher-Ruiva.

No bico da Avestruz, ainda vêm agarrados alguns cabelos ruivos. Ber-lim não tem medo da Avestruz, até porque ela está, pelo menos de momento, saciada. Além disso, é conduzida com uma corda que ele lhe colocou à volta do pescoço.

E se a Avestruz não fosse um animal de formas tão características e singulares podia, ao longe, aquele pequeno cortejo ser confundido com um Combatente que leva simplesmente atrás de si um prisioneiro com uma corda ao pescoço.

Ber-lim atravessa parte da cidade com a Avestruz atrás de si e dirige-se a uma das estações de comboio. No cais, inúmeras pessoas preparam a partida. Ber-lim tem dois bilhetes — quis comprar um bilhete para o animal. O que lhe interessa é ter espaço, que ninguém se intrometa entre ele e a Avestruz.

Foram para os seus lugares. Ber-lim, de quando em quando, puxa a corda com força obrigando a Avestruz a manter-se quieta.

As pessoas iam entrando, olhando para o bilhete que traziam na mão, conferindo os números que existiam nas cadeiras e sentando-se. A Avestruz causava alguma curiosidade, mas não espanto. Em poucos minutos, nos diferentes assentos, as pessoas embrenhavam-se nos seus assuntos e esqueciam.

Ber-lim tinha um objectivo: queria que, também ela, a Avestruz, ficasse louca com a Velocidade do Comboio.

O Comboio arrancou. Ber-lim começou a tremer, a Velocidade foi aumentando.

Ber-lim olhou para Avestruz, fixou-se nos olhos dela — era dali que vinha tudo. Era ali que se veria o resultado da viagem.

Os olhos da Avestruz: gigantes, talvez três vezes o tamanho do olho humano, pareciam muito atentos, como se observassem tudo e, de certa maneira, soubessem tudo. Ber-lim fixou-os uma última vez antes de ser atirado para trás pela Velocidade do Comboio. A partir daqui não se lembra de mais nada.

A Velocidade do Comboio é enorme, indescritível.

Chegaram ao destino. No destino existiam pequenas capelas onde as pessoas podiam ir agradecer o facto de terem chegado sãs e salvas. Ber-lim nunca entrara em nenhuma. De qualquer maneira, com uma Avestruz nunca o deixariam entrar. Ou sim? Mas não ia entrar com a Avestruz na capela.

Estava ainda no cais da estação. Fixou a Avestruz: os olhos pareciam normais, como no início da viagem. Observou com minúcia aqueles olhos gigantescos. Pareciam mesmo não ter sofrido alteração.

Ber-lim começou a andar e puxou a corda — a Avestruz seguiu-o. Três, quatro, cinco passos, até que, subitamente, aquelas longas e finas pernas começaram a tremer, a cambalear, como se a Avestruz estivesse prestes a dobrar os apoios e a cair. De súbito, caiu mesmo — as duas pernas cederam como talas de madeira que de um momento para o outro se quebram.

Ber-lim puxa a Avestruz, segurando-a pelo corpo grosso e fazendo força para cima. A ave faz força com as patas e parece estar quase a levantar-se, mas vai abaixo. Ber-lim tenta levantá-la de novo e ao longe pode parecer que uma velha senhora acaba de cair no cais e um jovem solícito a tenta levantar do chão.

Ber-lim tenta uma e outra vez, depois desiste. A Avestruz tem um peso enorme. Ber-lim olha de novo para a Avestruz, que está agora sentada no chão, como se à espera de alguma coisa. Está louca, pensa Ber-lim.

1. Não te esqueças, não te arrependas, não te vires
2. A casa e a história do Lobisomem
3. O Caçador e o Homem-do-Mau-Olhado
4. O olho esquerdo

lexandre, a Lengalenga, o Homem-do-Mau-
-Olhado, a Revolução, Olga, Maria, Tatiana, a
Boneca, o Lobisomem, o Caçador

1. Não te esqueças, não te arrependas, não te vires

Alexandre é o mais velho e por isso tenta acalmar as pequenas irmãs com uma Lengalenga. Estão perdidos na floresta e são apenas quatro. Perderam a mais pequenina, a bebé. A Lengalenga de Alexandre funciona para ele como uma bússola sonora. Perdidos na floresta — todas as árvores são iguais, todos os arbustos, todos os caminhos.

Alexandre vai cantando e quando a Lengalenga lhe sai com mais força, avança, quando a Lengalenga perde energia, para e repensa o trajecto. As suas três irmãs seguem-no. Não sabem cantar e não conhecem aquela Lengalenga. Só o irmão mais velho a aprendeu.

De repente, ouvem ruídos. É de noite e nada se vê. É um homem, e os quatro meninos não sabem se devem tremer muito e gritar, se devem fugir, se devem ouvir o que ele tem a dizer. O homem apresenta-se:

— Eu sou o Homem-do-Mau-Olhado.

Mas está escuro. As crianças não veem bem, o Homem-do-Mau-Olhado também não.

— De noite, o mau-olhado não funciona — diz ele —, não vos vejo com nitidez suficiente.

O Homem-do-Mau-Olhado acalmou-os. Perguntou quem eram.

Alexandre respondeu pelos irmãos:

— Os nossos pais foram mortos. Uma Revolução. Nós fugimos, somos cinco irmãos.

O Homem-do-Mau-Olhado, apesar da escuridão, não teve dificuldade em contá-los:

— Falta um.

— É a mais pequena — disse Alexandre. — É Anastácia. Está perdida. Não sabemos dela.

— Está mais perdida do que nós — diz Olga, que queria mostrar a sua inteligência. — Nós somos quatro. Ela é só uma.

— Onde estamos? — perguntou Maria.

— Você é mau ou é bom? — continuou a outra menina, Tatiana.

O Homem-do-Mau-Olhado não respondeu, mas avisou:

— Antes de o sol aparecer devem afastar-se de mim.

De qualquer maneira, era de noite e o grupo avançou pela floresta. À frente, ia o Homem-do-Mau-Olhado, atrás as quatro crianças. Andaram muito, durante toda a noite, e a cidade ainda não estava à vista.

— Continuamos perdidos? — perguntou Olga.

O Homem-do-Mau-Olhado respondeu que não.

— Estamos cansados — disse Maria.

O Homem-do-Mau-Olhado abanou a cabeça:

— Agora não podemos parar.

O certo é que já se adivinhava o começo da manhã e eles ainda não haviam encontrado a saída da floresta.

— É mais difícil do que pensava — murmurou o Homem-do-Mau-Olhado. — Mas não vos posso deixar aqui.

Alexandre não o disse, Olga, Maria e Tatiana também não, mas os quatro lembravam-se bem do que aquele homem afirmara: quando o sol aparecesse ele não poderia olhar para eles.

O Homem-do-Mau-Olhado propôs:

— Eu vou sempre à vossa frente. Devem fixar as minhas costas. Eu não me vou virar. Se nunca me ultrapassarem não há problema, mesmo com a luz. Sigam-me e tudo correrá bem.

E seguiram-no. O Homem-do-Mau-Olhado ia à frente, decidindo para que lado da floresta haveriam de ir e, atrás dele, numa obediente fila indiana, as quatro crianças. Alexandre, mantendo-se a cantarolar a sua Lengalenga; metro e meio atrás, Olga, a mais faladora, a que se orgulhava da sua inteligência, depois, mais caladas, Maria, a mais bonita, e a pequena Tatiana, com a sua Boneca. Avançaram neste cortejo três noites inteiras — e aí o Homem-do-Mau-Olhado podia virar-se, conversar; os meninos podiam ir ao seu lado, ou mesmo à sua frente, não havia risco.

Avançaram também durante três dias, três perigosos dias na floresta, com uma luz intensa, seguindo atrás das costas do Homem-do-Mau-Olhado mas temendo que, de um momento para o outro, ele mudasse de ideias, se virasse e fixasse o olhar neles. Ou então que se esquecesse.

E por essa razão, de vez em quando, Olga, lá atrás, durante o dia, gritava para o Homem-do-Mau-Olhado:

— Não te esqueças. Não te vires para trás! Não te vires para trás!

E o Homem-do-Mau-Olhado não se virou para trás.

2. A casa e a história do Lobisomem

Andaram e andaram e andaram e, no meio da floresta, avistaram uma casa.

Há uma história de Lobisomens que relata que um marido, depois de se despedir da sua esposa, avançava para a floresta e, escondendo a roupa que trazia debaixo da pedra, transformava-se três dias e três noites num Lobisomem. No regresso a casa, ele batia três vezes à porta. Se a mulher abrisse logo ao primeiro toque, encontraria o marido ainda em forma de Lobisomem e seria assassinada pelo animal. Se a esposa abrisse ao segundo toque, seria surpreendida por um ser estranho, metade lobo, a outra metade já com a forma do seu marido. Descobriria o segredo. E só se a esposa abrisse a porta ao terceiro toque é que daria tempo para que a transformação fosse total e, assim, estaria diante do seu marido, nada mais nada menos do que o seu marido, tal qual saíra três dias e três noites antes — dos pés à cabeça, humano, e nada lobo, nenhum vestígio dessa outra vida. E tudo desse modo voltaria ao normal.

Mas como saber quem está do outro lado? E como saber quando abrir a porta?

O Homem-do-Mau-Olhado acabara de contar esta história às quatro crianças, e Alexandre disse:

— Que história disparatada.

Olga, sempre a abanar os seus cabelos para a frente e para trás, repetiu:

— Disparatada!
E Maria e Tatiana concordaram.

A manhã chegara, para abrir caminho e o iluminar, e o grupo estava já em frente à casa que ao longe os entusiasmara.

O Homem-do-Mau-Olhado bateu uma vez à porta, depois bateu a segunda vez e preparava-se para bater a terceira vez quando, lá dentro, alguém abriu.
Os meninos, que tinham dito que a história do Lobisomem era um disparate, pensaram agora: Foi cedo de mais. Abriram a porta cedo de mais!
Nada havia a fazer, o terceiro toque não chegara a existir.

3. O Caçador e o Homem-do-Mau-Olhado

O dono da casa era um homem alto, robusto — mandou-os entrar. O Homem-do-Mau-Olhado avançou, como sempre, cuidadoso, cabeça baixa, tentando não fixar o homem.
— Quem são vocês?
Alexandre deu um passo em frente e disse:
— Alexandre!
Olga não se mexeu. Respondeu:
— Olga.
Maria e Tatiana ficaram caladas. Mexeram-se um pouco para o lado, envergonhadas. Olga apontou para uma:
— Maria.
Depois apontou para a outra:
— Tatiana.
As pequeninas fizeram uma ligeira vénia, mas logo perceberam que era um disparate.
— Somos irmãos — explicou Alexandre.
— Não viu a nossa irmã, uma bebé? — foi Maria quem falou. — Chama-se Anastácia.
Alexandre olhou para Maria, reprovando-a.
O homem respondeu que não via pessoas há muitos anos e o facto de estarem ali significava que estavam muito perdidos.
— Mas são bem-vindos — disse.
Depois, virou-se para o Homem-do-Mau-Olhado e

perguntou-lhe o nome. Ele não respondeu. Foi Alexandre quem falou:

— É o Homem-do-Mau-Olhado.

O dono da casa não disse uma palavra, mas algo o perturbou. O Homem-do-Mau-Olhado mantinha-se com a sua postura quase humilde — os olhos no chão, a cabeça baixa.

O homem foi buscar uma arma de caça. Era o Caçador. Uma espingarda. Ali estava ela. E carregada. Os meninos assustaram-se. Olga perguntou:

— Para que é isso?

Ele não respondeu. Tinha toda a atenção dirigida para outro lado:

— Olhe para mim — ordenou o Caçador ao Homem-do-Mau-Olhado.

O Homem-do-Mau-Olhado manteve a cabeça baixa:

— Não me peça isso.

O Caçador estava a três metros dele e apontou-lhe a arma:

— É uma ordem — disse. — Olhe para mim. Se não olhar para mim, disparo.

Alexandre abanava a cabeça a dizer que não, mas não foi capaz de murmurar uma palavra. Tinha medo. Baixou a cabeça, não queria ver. Olga, Maria e Tatiana também não queriam ver, tinham medo.

O Homem-do-Mau-Olhado levantou a cabeça e obedeceu à ordem: os dois homens olharam-se fixamente. O Caçador sentiu algo no corpo, sem saber exactamente onde nem porquê — nada de mais. Ali estava ele, intacto: duas pernas fortes, dois braços, dois pés; a visão apurada de sempre; era um Caçador, via o mais minúsculo pormenor a uma grande distância — não, nada lhe acontecera.

— Não gosto que me enganem.

O Homem-do-Mau-Olhado nada disse. Mantinha o olhar sobre o Caçador, obedecendo à sua ordem.

Foi a pequenita Olga quem disse que ele não estava a mentir — era mesmo o Homem-do-Mau-Olhado. O Caçador ignorou-a. Falou só com Alexandre, como se as irmãs não existissem. Pediu para se calarem. Para se afastarem.

Mas Olga não era capaz de obedecer a uma ordem destas. Insistiu:

— Não lhe faça mal. Ele é mesmo...

De súbito, o Caçador deu-lhe um estalo, um estalo forte, que fez de imediato Alexandre atirar-se à mão dele, mas este projectou-o contra o chão com uma sapatada. O Homem-do-Mau-Olhado estava quase a agarrá-lo quando o Caçador deu um salto para trás e colocou-o de novo debaixo da mira da espingarda. O Homem-do-Mau-Olhado preparava-se para avançar mesmo assim quando o Caçador virou, de forma imprevista, a arma em direcção a Maria — Maria que até ali tinha estado calada, com medo. E era isto: o Caçador tinha a arma apontada à pequena Maria que não parava de tremer.

Alexandre ficou imóvel como uma estátua, Olga calou-se. Tatiana choramingava e Maria tremia e choramingava. O Caçador virou depois de novo a arma em direcção ao Homem-do-Mau-Olhado. Já matara bichos muito piores do que aquele. Aproximou então a arma e, aos poucos, o cano foi-se encostando ao olho esquerdo do Homem-do-Mau-Olhado. Escolhera à sorte; não podia disparar sobre os dois, não podia ameaçar ambos, escolhera um — o olho esquerdo; era esse.

— Não gosto dessa conversa do mau-olhado — disse. — Vou rebentar com este olho e mostrar que não há mau-olhado nenhum.

O Homem-do-Mau-Olhado sentia o metal a fazer pressão, e tanto a temperatura fria como o contacto directo com aquele material provocavam nele um pânico absurdo. A força do cano sobre o globo ocular esquerdo era de tal forma que só a pressão lhe provocava dor, parecendo ser o suficiente para o cegar.

4. O olho esquerdo

Os meninos estão assustados, tremem, não sabem o que fazer. Não são fortes o suficiente.
Olga pensa em tudo o que pode dizer naquela situação mas nenhuma palavra eficaz lhe ocorre. Que história pode contar?
Olga gosta tanto de falar e agora, ali, cala-se, nada soluciona, não consegue sequer pensar. Alexandre baixa os olhos; as irmãs tremem, têm medo pelo Homem-do--Mau-Olhado. Pensam que ele é o maior amigo delas, que nunca tiveram um amigo assim. Mas defendem-se dele, ganharam aquele hábito, mantido durante dias, de não o fixar — e mesmo ali, numa situação limite, mantêm-no. Sabem que, mesmo com medo, os olhos do Homem-do-Mau-Olhado são perigosos e por isso não arriscam; a pequena Tatiana não para de chorar.

Um pouco acima do nível da cabeça das crianças desenrola-se um duelo estranho. O Homem-do-Mau--Olhado fixa bem o Caçador que também não desarma, e os dois parecem numa competição a ver quem primeiro baixa os olhos, quem é mais forte.
Mas não se trata de um duelo entre dois olhos de cada lado. O Caçador não move um milímetro a arma e mantém o seu cano encostado ao globo ocular do olho esquerdo do Homem-do-Mau-Olhado.
O Homem-do-Mau-Olhado usa, assim, apenas o seu

olho direito, mas fixa-o com toda a força que tem e com toda a maldade que tem. Fixa o Caçador e sabe — pois já se conhece bem — que o tempo, a forma e a intensidade com que já olhou, mesmo só com um olho, é suficiente para que o Caçador tenha já, desde aquele momento, a vida partida em dois. Tudo mudará, aquele olhar não deixa nada atrás: amaldiçoa, faz adoecer, tortura, mata; tudo de mau irá acontecer àquele homem que agora tem uma arma na mão, uma espingarda de caça.

Já matei bichos bem piores do que este, pensa de novo o Caçador. E as crianças baixam ainda mais a cabeça, e franzem as sobrancelhas, cerram com força os olhos, fechados não basta — sentem que está iminente o tiro —, como se com as pálpebras tapassem também os ouvidos.

O Caçador não para. O seu dedo indicador direito já começa a mover-se no gatilho e nada há a fazer.

Alexandre quer gritar, quer atirar-se ao homem, mas não tem coragem. Olga já não quer ver nada, mas vence o medo e espreita no preciso momento em que o olho direito do Homem-do-Mau-Olhado se vira para ela, instintivamente, para ver se está bem. Olga baixa de novo a cabeça. Fez uma asneira, ela sabe. Sempre foi assim, sempre quis ver de mais.

Maria e Tatiana gritam. O cano da espingarda faz ainda mais pressão sobre o olho esquerdo do Homem-do-Mau-Olhado e subitamente o tiro ameaçado aparece — um estrondo que faz os meninos saltarem e a cabeça do Homem-do-Mau-Olhado recuar com a brutal violência da bala.

O Caçador disparou sobre o olho esquerdo do Homem-do-Mau-Olhado, disparou com o cano encostado ao olho que agora está desfeito, destruído.

O Caçador assusta-se com a sua própria selvajaria. De repente, deixa cair a arma, afasta-se, aproxima-se da porta, começa a fugir, a correr o mais rápido possível para longe dali; correr sem olhar para trás, a grande velocidade, só correr.

E entretanto, na sua própria casa, na casa que defendeu durante tantos anos, na casa que nunca mais quer voltar a ver, ficam quatro crianças que estão agora perdidas como se a casa fosse a floresta. Abrem a porta do quarto, depois fecham-na, para onde ir? E perguntam-se, sem falar, se podem olhar ou não para o Homem-do-Mau--Olhado ou se só devem gritar. O que fazer? Olga quase o pergunta explicitamente a Alexandre, mas os quatro meninos fazem o que o seu corpo faz no lugar deles.

O Homem-do-Mau-Olhado tem o olho esquerdo desfeito por completo, destruído, um olho a menos.

— Já podem olhar para o meu olho esquerdo — dirá mais tarde aos meninos. — Está inutilizado.

Mas agora os meninos têm muito que fazer. Demasiado para a idade que têm. Maria encontra um balde, Olga vai buscar água, Alexandre grita e pergunta se lhe dói, se está a doer muito, insiste, enquanto a pequenina Tatiana só pergunta o que pode fazer, o que deve fazer, mas ninguém a ouve, ninguém lhe responde, o mundo é grave, avança, e aí está: o Homem-do-Mau-Olhado está ferido, o Homem-do-Mau-Olhado perdeu um olho.

III

1. **A inutilidade de ser marcado**
2. **O treino e a fuga insólita**
3. **A Velocidade e as antigas civilizações**
4. **O Comboio e os castigos**
5. **A noite e um Poço**
6. **Os quatro meninos foram apanhados**
7. **Tatiana e um Combatente. E ainda Olga**

s Homens-Com-a-Cabeça-Perto-do-Chão, o Gigante, a Revolução, o Povo-Inteiro, os Combatentes, a Velocidade, o Comboio, o Poço, Alexandre, Olga, Maria, Tatiana, a Boneca

1. A inutilidade de ser marcado

Um nevão súbito deixou a cidade toda branca. Acima do tapete branco, as árvores e os bancos dos jardins. E os homens de um lado para o outro, andando mais rápido — o frio a isso obriga.

Os Homens-Com-a-Cabeça-Perto-do-Chão avançam como os outros, agora a passos mais velozes; as temperaturas estão perto do zero. Mas os Homens-Com-a-Cabeça-Perto-do-Chão olham para trás; desconfiam do que se passa nas suas costas.

É um grupo que não precisa de ser marcado; qualquer símbolo — uma cruz, uma palavra, o desenho infantil de uma casa — marcado no seu corpo, como se faz aos cavalos, seria inútil. Eles ali estão, andando de um lado para o outro por cima da neve, exactamente como todos os outros, mas eles eram os Homens-Com-a-Cabeça-Perto-do-Chão. Podiam fugir, correr muito, esconder-se, tentar mudar de rosto, por meios naturais e artificiais, ensaiar uma nova forma de andar, mais hesitante, mudar de profissão, de zona da cidade — nada adiantava. Seriam sempre reconhecidos. Seriam sempre os Homens-Com-a-Cabeça-Perto-do-Chão.

2. O treino e a fuga insólita

Dois caminhos possíveis para os Homens-Com-a--Cabeça-Perto-do-Chão — um longo e um curto. No destino, comida.

Os Homens-Com-a-Cabeça-Perto-do-Chão tinham fome.

Se à primeira tentativa fossem pelo caminho mais longo e à segunda, pelo caminho mais curto, a partir de um certo momento — da terceira tentativa — perceberiam qual o caminho mais curto e passariam a repeti-lo.

Eis, então, que quem chega com força, o homem grande, o Gigante que lidera a Revolução, quer perceber qual o método que mais rapidamente alterará esses hábitos que a história da fome inscreveu na inteligência dos homens: ir até à comida pelo caminho mais curto.

No caminho mais curto há uma barreira. O Homem--Com-a-Cabeça-Perto-do-Chão grita, mas os gritos não são suficientes. Depois, o Homem-Com-a-Cabeça-Perto-do-Chão irá pelo outro lado, tentará a segunda via. O caminho mais longo. E por aí, sim, chegará ao alimento. Tem fome — come.

No dia seguinte, o mesmo. Ainda tenta de novo o caminho mais curto, mas, tal como no dia anterior, a barreira que não o deixa passar. Pela segunda vez vai pelo caminho mais longo. Porque tem fome, e por isso tem pressa, vai pelo caminho mais longo.

Que estranho. Estão a fazê-lo pensar como um louco: Porque tenho pressa, vou pelo caminho mais longo.

A experiência é esta: como rapidamente se perdem os hábitos adquiridos — no limite, como é que se fica louco: a optar sempre pelo caminho mais longo, pelo caminho mais longo, pelo caminho mais longo.

Em todo o lado, em todas as situações, até nas mais quotidianas. Qualquer movimento dos Homens-Com--a-Cabeça-Perto-do-Chão, agora já longe dos espaços em que haviam sido experimentados e treinados, estava marcado pela nova civilização. Os Homens-Com-a-Cabeça-Perto-do-Chão iam pelo caminho mais longo até quando estavam em fuga. Fugiam atropelando-se uns aos outros, caindo, pisando-se, insultando-se, tentando escapar o mais rápido que as suas pernas individuais permitiam, e fugindo, enquanto grupo, como loucos, um Povo-Inteiro de loucos, fugindo sempre pelo caminho mais longo.

3. A Velocidade e as antigas civilizações

Numa certa noite passou-se muita coisa em poucas horas.

Não se sabe se veio alguma ordem ou se a origem foi um desacato provocado por um desses Homens-Com-a-Cabeça-Perto-do-Chão, mas o certo é que a meio da noite, e depois ainda de manhã, várias camionetas avançaram pela rua a recolher todos os Homens-Com-a-Cabeça-Perto-do-Chão. Algumas camionetas paravam em determinadas moradas, alguns Combatentes entravam e saíam com dois ou três Homens-Com-a-Cabeça-Perto--do-Chão, pai, mãe, filho, que empurravam para a parte de trás da camioneta.

A camioneta ia aberta e a questão era a Velocidade: os Homens-Com-a-Cabeça-Perto-do-Chão não estavam presos por portas e fechaduras. Não havia porta nem fechaduras. O único elemento que impedia que os Homens-Com-a-Cabeça-Perto-do-Chão saltassem da camioneta e fugissem era a Velocidade. Não era um elemento físico, no sentido em que se utiliza habitualmente esta palavra, não era algo semelhante a um objecto que ocupa espaço no mundo, que pode ser assinalado num mapa de maior ou menor escala — era uma espécie de porta que não se vê, um milagre, um atentado à lógica habitual de perceber o mundo e de ser racional.

Ali estavam os Homens-Com-a-Cabeça-Perto-do-

-Chão a serem levados por uma camioneta que ia a uma Velocidade tremenda e com a porta aberta.
— Saiam se quiserem.

Mas ninguém saía, a porta escancarada, a parte de trás da camioneta a fazer um convite para que os Homens-Com-a-Cabeça-Perto-do-Chão fugissem para o resto do mundo que ainda sobrava e os Homens-Com-a-Cabeça-Perto-do-Chão não fugiam porque estavam na camioneta, trancados pela enorme Velocidade que o condutor impunha.

Um dos orgulhos do Homem-Mais-Alto que lidera a Revolução: mais de metade das conquistas e dos avanços haviam sido feitos graças à Velocidade. Era a arma: substituía tanques, aviões bombardeiros, máquinas complexas. Eles não precisavam disso, apenas aceleravam as coisas.

Os primeiros cavalos haviam assustado os povos sem cavalo, as primeiras armas de fogo conquistaram, em poucas semanas, povos bem antigos. E aquela Revolução trazia algo novo: bem mais forte e assustador do que o cavalo ou a arma de fogo, esta Velocidade conseguira, em pouco tempo, o que os mais fortes animais e armas não haviam conseguido.

4. O Comboio e os castigos

Se alguém perturbava era ameaçado com o Comboio. Apenas se dizia: o Comboio. E o Comboio não tinha destino, tinha velocidade. Circulava apenas naquelas duas linhas. Circulava de A para B ou de B para A. De C para D ou de D para C. A linha A-B era maior do que a outra, mas apenas isso. Os efeitos eram os mesmos. Para as punições mais leves usava-se o Comboio da linha mais curta, para as punições mais graves, o da linha A-B. E nada acontecia dentro do Comboio. O castigo era apenas a Velocidade.

— Ele foi para o Comboio — uma frase que assustava. Os pais diziam para os filhos:
— Se continuas assim, metemos-te no Comboio.
Ninguém queria ser metido no meio da Velocidade.

5. A noite e um Poço

Numa única noite recolheram centenas de Homens-
-Com-a-Cabeça-Perto-do-Chão. Foram transportados nas camionetas a grande Velocidade. Chegaram ao destino. Foram descarregados.
No destino havia comida para todos. Uma mesa enorme, com centenas de metros de comprimento. Era um banquete. Eis o destino.
Estavam com fome, ali estava a comida.
Depois de comerem foram chamados um a um, pelo nome.
Cada Homem-Com-a-Cabeça-Perto-do-Chão dava um passo em frente e dizia o seu nome completo. Dizia também o nome do pai e o nome da mãe. Se tivesse filhos dizia o seu nome.
A seguir, os Homens-Com-a-Cabeça-Perto-do--Chão, um a um, eram conduzidos por um Combatente armado com uma pistola. Eram vinte Combatentes. Iam e vinham. Levavam um e voltavam ao local onde centenas de Homens-Com-a-Cabeça-Perto-do-Chão aguardavam. Depois de mais um passo em frente e nova apresentação levavam outro. Passados poucos minutos regressavam.
O ritmo era milimétrico, exacto.
No caminho, alguns Combatentes diziam ao seu Homem-Com-a-Cabeça-Perto-do-Chão que o levavam para onde estava a comida. O Homem-Com-a-Cabeça-

-Perto-do-Chão argumentava que acabara de comer, que já não era preciso. Continuavam depois em silêncio e avançavam para as proximidades de um enorme Poço. Cada Combatente disparava uma bala na cabeça do Homem-Com-a-Cabeça-Perto-do-Chão e atirava-o ao Poço.

Alguns recusaram-se a fazer aquilo. O facto de não dispararem com o braço esticado e paralelo ao solo, o facto de se verem obrigados a baixar o cotovelo e a disparar a partir das suas próprias ancas de maneira a acertar na cabeça do Homem-Com-a-Cabeça-Perto-do--Chão provocava nos Combatentes um incómodo. Sentiam que era algo injusto quando o disparo não era feito com o braço e o antebraço esticados à altura do ombro.

O processo terminou por este motivo. O Poço estava longe de estar cheio.

6. Os quatro meninos foram apanhados

Naquela noite, antes da interrupção do processo, foram cometidos muitos erros.

Os quatro meninos foram apanhados.

— Vocês pertencem aos Homens-Com-a-Cabeça-Perto-do-Chão?

Alexandre estava a tremer, mas foi o primeiro a dar um passo em frente e a dizer que não.

— Sou Alexandre. Tenho dez anos. Vou crescer.

A segunda foi Olga.

— Tenho oito anos. Vou crescer.

A pequena Maria queria acrescentar algo para convencer o Combatente, mas como os seus irmãos mais velhos haviam dito aquela frase, no último instante decidiu dizer exactamente o mesmo.

— Tenho seis anos. Vou crescer.

Tatiana estava a chorar e a segurar pelos cabelos na sua Boneca. Foi Alexandre quem teve de a puxar um pouco para a frente. E foi ele quem falou:

— É Tatiana. Tem quatro anos. É minha irmã.

— Falta alguém? — perguntou o Combatente.

— Falta a nossa irmã mais pequena. Chama-se Anastácia. Perdeu-se de nós.

— Vocês sabem onde estão? — perguntou o Combatente.

Olga quis falar: disse que não; que tinham saído de casa de manhã e se tinham perdido e agora não sabiam o caminho de regresso. Falou ainda de muitas outras coisas. Disse ao Combatente que tinham feito um amigo, o Homem-do-Mau-Olhado, e que ele estava ferido, tinha um olho desfeito. O esquerdo, disse, apontando para o seu próprio olho esquerdo.

Ia continuar, mas o Combatente mandou-a calar. Olga deu um passo atrás e juntou-se à pequena Tatiana que ainda segurava nos cabelos ruivos da Boneca mas já não chorava.

— Provavelmente — disse o Combatente —, vocês é que se perderam da vossa irmã. Já pensaram nisso? Vocês estão perdidos, não estão?

Alexandre repetiu que sim e Olga repetiu parte da história que tinha contado momentos antes.

Depois, todos se calaram: os quatro meninos e o Combatente.

Até a pequena Tatiana estava tão assustada que não fazia ruído nenhum. A mão direita, que segurava nos cabelos ruivos da Boneca, não se mexia. Cada um dos seus cinco pequenos dedos estava imóvel, como se ela, a pequena Tatiana, estivesse a brincar às estátuas — mas não podia estar a brincar pois tinha um ar demasiado sério e amedrontado.

Num segundo arrependeu-se de ter ali a Boneca, e de a levar sempre consigo, talvez se estivesse com as mãos vazias não tivesse tanto medo.

O Combatente, calado, a observá-los, um a um, a tentar decidir, em definitivo, se está ou não diante de Homens-Com-a-Cabeça-Perto-do-Chão. Primeiro, observa Alexandre, de alto a baixo. Está visto.

O olhar do Combatente passa agora para Olga. Alexandre, quase imperceptivelmente, respira fundo.

Olga. É muito inteligente. Sabe coisas que nenhuma menina de oito anos sabe. Fala com muita fluência e utiliza muitas palavras difíceis. É a menina mais esperta que Alexandre conhece.
Porém, agora não pode mostrar como é inteligente porque o que se exige dela é que esteja calada, calada e quieta.
Não fazer ruído com os dentes que tremem, não fazer ruído com a mão esquerda. Não respirar, ou respirar em silêncio, tentar que o peito se mantenha imóvel, não respirar, não respirar.
E passou.

O Combatente vira-se para a pequena Maria.
Maria treme. E treme ainda mais quando o Combatente fixa os olhos nela.
O Combatente diz:
— Não tremas.
Ela esforça-se, mas não consegue.
— Não tremas — repete o Combatente.
Alexandre quase está tentado a olhar para a irmã, para confirmar se está a tremer ou não.
Olga tem vontade de dizer ao Combatente que a irmã não está a tremer, que tem frio. E diz mesmo, aquilo sai:
— Ela tem frio.
A frase sai e logo Olga se arrepende. Alexandre tem vontade de bater na irmã. Chama-lhe estúpida, por dentro, na cabeça: Olga estúpida, tem a mania de falar. Estúpida.

O Combatente está de novo a olhar para Olga. Eis o que Olga conseguiu, pensa Alexandre. O olhar que estava em Maria está de novo em Olga. Ele pensa: E agora? — é egoísta, sabe isso, mas que pode fazer? — tem medo, está com muito medo, e por isso pensa que a estúpida da irmã, que a estúpida Olga fez os olhos do Combatente regressarem e agora podem ainda voltar mais atrás, de novo para Alexandre, a acusá-lo de qualquer coisa, e ele não tem vergonha, naquele momento, de pedir, por favor, que os olhos do Combatente não recuem mais, que quando muito fiquem ali, na sua irmã Olga, foi ela quem teve culpa de tudo, foi ela quem falou, não ele, Alexandre, que está calado, não se mexeu, fez tudo como devia.

Porém, o Combatente já abandonou Olga e voltou a Maria; a Velocidade do olhar é agora bem maior, vai de alto a baixo com grande rapidez.

Maria, de qualquer maneira, já está mais calma, aqueles segundos em que o alvo do olhar do Combatente voltou a ser Olga fizeram-na acalmar. Agora está pronta: podem olhar, não vai tremer.

Está pronta, sim, mas o Combatente já se desinteressou, não olha para Maria mais do que um ou dois segundos e fixa-se já, por inteiro, com a atenção inteira, na pequenina, na Tatiana.

E isso é o mais perigoso.

7. Tatiana e um Combatente. E ainda Olga

O Combatente tem os olhos fixos na pequena Tatiana. Os olhos muito fixos e nem uma palavra.

Um segundo, dois, três, quatro, cinco, seis, sete, oito, nove, dez, onze, doze, treze, catorze, quinze segundos e parou.

— Tu és um Homem-Com-a-Cabeça-Perto-do-Chão, não és?

Quinze segundos de um silêncio aterrador e depois aquela pergunta, que repetiu, porque Tatiana não respondeu:

— Tu és um Homem-Com-a-Cabeça-Perto-do-Chão, não és?

A pequena Tatiana já sabia falar, mas falava mal. De qualquer maneira, não sabia o que responder àquilo.

Queria olhar para os irmãos, para Olga e Alexandre, para que eles lhe dissessem, mesmo só com sinais do rosto, o que deveria fazer, o que deveria responder. Mas já tinha percebido muita coisa desde que ali estavam. Tinha percebido, por exemplo, que não devia olhar para os irmãos.

Segurava na mão a Boneca de cabelo ruivo. E o Combatente continuava a olhar para ela, fixamente.

Ao nível das ancas, do lado direito, está a pistola. Parece uma coisa de brincar, algo totalmente inofensivo. Tatiana vê a pistola e pensa em roubá-la para as suas brincadeiras. Não é, de facto, uma arma que imponha respeito e medo. Um pouco como certos cães ou animais que, pelo seu aspecto meigo, não aterrorizam.

Aquela era uma arma que não tinha um focinho medonho e isso, parecendo que não, era muito importante para Tatiana. Não teve medo. Recuperara a energia. Disse para o Combatente:

— Tenho quatro anos. Tenho uma Boneca — e levantou-a para a mostrar.

O Combatente estava dobrado diante dela e agora o seu ar era gentil.

Aproximou a mão da Boneca.

— Posso ficar com ela?

Tatiana ficou lívida. De repente começou a chorar, a chorar muito, mas ainda assim tentando não se mexer.

O Combatente ergueu-se, deixou a Boneca nas mãos da menina. Deu um passo atrás.

Alexandre disse:

— Ela gosta muito da Boneca. Ainda não a largou.

Olga confirmou:

— Ela gosta muito da Boneca.

O Combatente mandou-os calar.

— Podem ir embora, os quatro.

Virou-lhes as costas. Os quatro meninos ficaram durante uns instantes parados, mas depois começaram a correr, a afastarem-se dali. Alexandre pegou na pequena Tatiana ao colo, que não largava a Boneca. Deu-lhe beijos, cinco, seis, sete, oito. Olga estava muito contente, mas estranhamente, ela que falava tanto, não disse uma palavra.

Está tão calada, a Olga.

Está com medo, Olga?

IV

1. As letras — o Homem-do-Mau-Olhado ainda consegue ver
2. À saída, um aviso
3. Outra vez, o Gigante

VI

O Médico-dos-Olhos, o Homem-do-Mau--Olhado, o Gigante

1. As letras — o Homem-do-Mau-Olhado ainda consegue ver

O Médico-dos-Olhos era gentil, gostava de explicar. Não tinha pressa. Levava o seu preço, era caro, mas explicava as causas, os efeitos, falava de tudo um pouco, estava disponível para o doente. Tratar era também ouvir, por vezes falar.

A ferida do olho esquerdo estava sarada, mas esse olho já não veria mais nada.
— A partir de agora — disse o Médico-dos-Olhos —, escuridão do lado esquerdo; do lado esquerdo, noite, e do lado direito, dia.
O Homem-do-Mau-Olhado permanecia na cadeira, nem confortável nem irritado.
O Médico mostrou as letras com vários tamanhos.
— Olhe para aqui — disse, apontando com a sua pequena vara para uma letra.
O Homem-do-Mau-Olhado obedeceu:
— B.
O Médico apontou para outra letra, na fila de baixo, de um tamanho mais pequeno.
— U — disse o Homem-do-Mau-Olhado.
— E agora? — ele apontava para uma letra ainda mais pequena na fila mais baixa de todas.
— R.
— Muito bem — murmurou o Médico.

2. À saída, um aviso

— Posso dizer-lhe uma coisa?
O Homem-do-Mau-Olhado ainda não se fixara no Médico-dos-Olhos. Tentara protegê-lo. Continuava de olhos fixos na parede, como se o Médico não estivesse ali.
— Diga.
— Tenho mau-olhado.
— Mau-olhado? Como?
— Mau-olhado.
— ...
— E olhei fixamente para as suas letras, para os seus As, Ts, Bs. Para as suas imagens. Não devia voltar a mostrar essas imagens a ninguém, essas letras, esses Bs e Rs; ficou tudo com mau-olhado. Devia queimar tudo.
O Médico não respondeu de imediato.
— Não se preocupe. Se acha isso, vou substituir o quadro das letras, vou queimar tudo.
— É o melhor — disse o Homem-do-Mau-Olhado.

3. Outra vez, o Gigante

O Gigante sentou-se.
O Médico-dos-Olhos ligou o quadro. Pegou na sua vara e apontou para a letra B, na fila de cima.
— Que letra é esta?
— B — respondeu o Gigante.

V

1. O amigo e um diálogo sobre os gritos
2. O Cantor e o fascínio
3. Outro espectáculo — um acontecimento antigo
4. A Avestruz continuou e continuou
5. Dizer um número

Homem-Com-a-Boca-Aberta, o Dr. Charcot, Ber-lim, o Cantor, a Avestruz, a Mulher-Ruiva

1. O amigo e um diálogo sobre os gritos

O Homem-Com-a-Boca-Aberta, louco que ficara assim depois de ser operado pelo Dr. Charcot numa transformação considerada eficaz. Mantinha, sem variações, a boca aberta como se estivesse prestes a enfiar algo lá para dentro.

— Está sempre preparado para comer — dizia o Dr. Charcot, sem se perceber se troçava ou não da coisa.

Ber-lim sentou-se, o Homem-Com-a-Boca-Aberta sentou-se ao seu lado. Eram amigos. A amizade surgira quando, depois de ser operado à cabeça, depois de lhe terem retirado uma pequena porção do cérebro, esse homem, já de boca aberta, ficara ali, sozinho, numa praça secundária, parado, a olhar para todos os lados, sem saber bem para onde ir nem de onde viera e o que lhe acontecera. Fora o louco Ber-lim o único a aproximar-se dele:

— Está perdido? — perguntara.

O Homem-Com-a-Boca-Aberta, que falava muito arrastadamente quase sem alterar a posição aberta, em círculo, da sua boca, respondera:

— Não en-ten-do. Não es-tou a per-ce-ber.

Não sabia se estava perdido; assim começara aquela amizade. Um louco que estava mais desorientado do que Ber-lim.

Não tinha familiares, ou pelo menos haviam desaparecido, pois certamente alguém o conduzira até à Praça-Central para ser lobotomizado.

— Foi o meu ir-mão mais ve-lho — disse, ao fim de uns dias, o Homem-Com-a-Boca-Aberta.

Ber-lim escutava.

— Vamos encontrar o teu irmão mais velho.

O Homem-Com-a-Boca-Aberta abanou a cabeça, agarrou Ber-lim, quase chorou. Disse que não:

— Te-nho me-do do meu ir-mão mais ve-lho.

Ber-lim sossegou-o. Não iriam procurar ninguém.

O Homem-Com-a-Boca-Aberta ficava ali. No sítio por onde as pessoas passavam para ir de um lado ao outro.

Ber-lim disse:

— Por vezes pisam-te.
— Sim.
— E o que é que acontece?
— A-cor-do e gri-to.
— E eles?
— Pe-dem des-cul-pa.
— E tu?
— Con-ti-nu-o a gri-tar.
— E eles?
— Fo-gem. Têm me-do.
— E depois paras de gritar?
— Pa-ro de gri-tar.

2. O Cantor e o fascínio

O Cantor de ópera começa e Ber-lim fica fascinado com os sons. Ao seu lado, na Praça, o Homem-Com-a--Boca-Aberta, o seu amigo.

Ber-lim não consegue perceber se o Homem-Com--a-Boca-Aberta está a gostar, o seu rosto é ainda mais neutro do que o dele. Nada se move, nem as sobrancelhas, nem os músculos das maçãs do rosto, nem a testa, nada. Sempre a boca meio aberta, fazendo um círculo. Ber-lim também não sabe se está a gostar.

3. Outro espectáculo — um acontecimento antigo

O Homem-Com-a-Boca-Aberta está parado a ver aquilo. A Avestruz havia partido o crânio da Mulher-Ruiva depois de debicar várias vezes, quebrando o ovo da cabeça como um qualquer outro ovo; primeiro uma racha, uma racha mais forte, depois um buraco e, finalmente, um buraco maior. Feito o mais difícil, avança-se e abre-se mais o buraco e entra-se com o bico.

O Homem-Com-a-Boca-Aberta está a ver aquilo e esforça-se por perceber.

Aproxima-se e, a alguns metros da enorme Avestruz, faz com a mão direita o movimento de a enxotar como se esta fosse uma pomba pequena e estivesse ali no chão, aos seus pés, a incomodar. Mas a Avestruz nem sente o movimento da mão e prossegue o seu banquete.

Logo a seguir o Homem-Com-a-Boca-Aberta volta à sua imobilidade característica: os braços ao longo do corpo, o olhar colocado no que está afastado, fixo em sítio nenhum; e a boca aberta, em círculo.

4. A Avestruz continuou e continuou

O Homem-Com-a-Boca-Aberta andava, assim, de boca bem aberta, a ver o que acontecia; sem interferir, observando como um espião sem iniciativa, ou um *voyeur*, mas um *voyeur* sem qualquer desejo, que não se conseguia excitar com o que via; os actos e os acontecimentos que decorriam à sua frente pareciam passar-se numa outra língua, numa língua de que não dominava nem uma palavra. Tudo para ele era igual, moralmente, e não só.

Percebera, porém, que aquilo que a Avestruz estava a fazer à cabeça da Mulher-Ruiva não era bom, não era simpático. Daí o seu movimento do braço direito que se levantou para enxotar aquela ave grande, para a afastar dessa mulher que estava a ser atacada ou comida — ele não percebia bem a diferença.

Mas aquele breve levantar do braço não foi percebido: a Avestruz nem sequer detectou a sua existência, manteve exactamente o mesmo ritmo e não suspendeu nem um segundo a sua acção — o inclinar do longo pescoço, da cabeça pequena, dos olhos enormes e do bico sobre a cabeça da Mulher-Ruiva, como se ela — a Avestruz — fosse um cão que, envolvido por completo, com a sua cabeça mergulhada no prato de comida que o dono amavelmente lhe dera, nada conseguisse ouvir e a nada prestasse atenção: nada importava.

Eis como estava a Avestruz: excitada, inclinada, esquecida do mundo — impossível, pois, um movimento tão suave no espaço, embora muito invulgar para o Homem-Com-a-Boca-Aberta, um movimento tão tímido como aquele fazer a Avestruz levantar a cabeça do seu almoço, quanto mais assustar-se.

A Avestruz continuou e continuou. Nada a fez parar.

5. Dizer um número

Ber-lim e o Homem-Com-a-Boca-Aberta andavam quase sempre juntos, a vaguear, perdidos, mas agora, como estavam os dois, lado a lado, já não pareciam perdidos, já não pareciam tão loucos, pareciam ter um objectivo, a coisa ganhava estupidamente sentido porque um louco caminhava ao lado de outro louco, e os dois, lado a lado, falavam, de quê, ninguém sabe, mas para a Cidade inteira estavam bem menos loucos do que antes, pois estavam juntos.
— Por-que gri-ta-va?
O que está a acontecer? O que é isto?
O Homem-Com-a-Boca-Aberta fazia-lhe perguntas como se estivesse perdido e Ber-lim dominasse as direcções e a orientação na cidade. E por vezes, — acontecia agora cada vez mais — o Homem-Com-a-Boca-Aberta perguntava a Ber-lim as horas e ele, que nunca soubera que horas eram, respondia-lhe — dizia o primeiro número que lhe vinha à cabeça e isso, estranhamente, apaziguava o Homem-Com-a-Boca-Aberta, como se perguntar as horas fosse o mesmo que pedir, por favor, um qualquer número, um número ao acaso que o tranquilizasse.

Ber-lim aperta a mão ao Homem-Com-a-Boca-
-Aberta — que mantém o seu ar impávido, a boca imóvel —, e a mão quase não faz força; é Ber-lim quem faz o que

sente que os outros fazem quando lhe apertam a mão —
é ele, Ber-lim, quem faz força pelos dois, e a sua energia
reduzida é, ali, a energia toda, ou pelo menos noventa
por cento da energia envolvida naquele aperto de mão.

E o Homem-Com-a-Boca-Aberta olhava para Ber-lim e não percebia nada, e avançavam depois os dois pelo passeio, muito direitos; por vezes Ber-lim punha mesmo a sua mão em redor do braço do seu companheiro, como se o auxiliasse ou como se fossem dois velhos — um casal de velhos que mutuamente se ampara, embora um deles seja ainda mais forte e, com paciência e discrição, faça mais força, ampare mais, e é ele o velho mais forte, a parte do casal que ampara, ele, Ber-lim, o louco.

— Por-que é que gri-ta-va? — pergunta de novo o Homem-Com-a-Boca-Aberta, recordando-se do Cantor que os dois haviam escutado.

Gosto da forma como abre a boca, dizia o Homem-Com-a-Boca-Aberta.

Gosto dos gritos, dizia Ber-lim.

VI

1. **A Igreja — entrar**
2. **A Igreja — sair**

Homem-Com-a-Boca-Aberta, o Dr. Charcot, a Igreja-Mais-Pequena-do-Mundo, a Velocidade, o Comboio

1. A Igreja — entrar

O Homem-Com-a-Boca-Aberta foi levado pelo Dr. Charcot à Igreja mais pequena do mundo, que tinha uma área de 2,59 metros quadrados (2,13 metros de comprimento e 1,22 de largura).

Entrava um homem de cada vez, fazia o que tinha a fazer lá dentro e saía.

O Dr. Charcot não estava completamente contente com o ritmo da recuperação do Homem-Com-a-Boca-Aberta e por isso o levara ali.

Mandou-o entrar.

— É uma Igreja.

— U-ma I-gre-ja?

— Uma Igreja.

— É pe-que-na — disse o Homem-Com-a-Boca-Aberta.

— Parece uma cabine telefónica — e o Dr. Charcot riu-se com as suas próprias palavras.

Mas recompôs-se e repetiu:

— É uma Igreja, é para você rezar.

— É mui-to pe-que-na — repetiu o Homem-Com-a-Boca-Aberta.

— Para rezar é suficiente — disse o Dr. Charcot.

E depois disse ainda:

— Tem 2,13 metros de comprimento e 1,22 de largura. Cabem vários homens lá dentro.

— É mui-to pe-que-na — insistiu o Homem-Com-a-Boca-Aberta.

— É pequena para quê? — impacientou-se o Dr. Charcot, que o tentava empurrar, embora com uma força moderada, lá para dentro. — É para você rezar. Não está mais ninguém. Não é para dar saltos ou abrir os braços. Basta perfeitamente.

— É mui-to pe-que-na.

— Você não precisa de se mexer — explicou o Dr. Charcot, largando o braço do Homem-Com-a-Boca-Aberta. — Entra, ajoelha-se e reza. Na parede do fundo está uma cruz. Deve virar a cabeça para lá, fixar os olhos nela enquanto reza. Tem espaço mais do que suficiente para se ajoelhar. A Igreja tem 2,13 de comprimento e 1,22 de largura. Dá para dois homens ajoelhados lado a lado. Você está sozinho, dá perfeitamente para si.

O Homem-Com-a-Boca-Aberta insiste que a Igreja é muito pequena e recusa-se a entrar. O Dr. Charcot puxa-o por um braço. Agora com mais força.

O Homem-Com-a-Boca-Aberta resiste, trava, opõe-se com a força dos pés e com os braços ao puxão do Dr. Charcot. O Dr. Charcot para subitamente e dá um estalo ao Homem-Com-a-Boca-Aberta, que fica parado, sem reacção, a tentar perceber o que foi aquilo, se foi bom, se foi mau. Há algo no Dr. Charcot que avança quase independente da sua vontade: dá-lhe um outro estalo, um estalo ainda mais violento. E depois dá outro. Três estalos violentos. O Homem-Com-a-Boca-Aberta está encolhido, já percebeu que aquilo não é bom.

O Dr. Charcot puxa pelo braço do Homem-Com-a-
-Boca-Aberta, que agora não resiste — perdeu as forças
ou desistiu.

O Dr. Charcot empurra-o, ainda com dificuldade,
mas só com aquela que o peso do corpo do Homem-
-Com-a-Boca-Aberta provoca; já não há resistência ac-
tiva, mas o seu corpo é pesado; e não é uma questão de
não querer facilitar, o corpo do Homem-Com-a-Boca-
-Aberta ainda não percebeu o que deve fazer, não teve
velocidade para compreender que agora o que é bom
para ele é entrar na pequena Igreja.

Porém, o corpo do Homem-Com-a-Boca-Aberta
acaba por entrar, obedece ao Dr. Charcot, que agora não
empurra, conduz, pede-lhe delicadamente, por favor,
para se ajoelhar quando estiver todo lá dentro.

O Dr. Charcot não consegue confirmar se o Homem-
-Com-a-Boca-Aberta se ajoelha ou não porque tem de
fechar a porta da pequena Igreja, à força. O Homem-
-Com-a-Boca-Aberta tem agora todo o corpo dentro da
Igreja mais pequena do mundo.

O Dr. Charcot está do lado de fora, à espera, ner-
voso, como quem espera uma notícia importante, anda
um passo para a direita, outro para a esquerda, como se
aguardasse que lhe viessem dizer que já nasceu, se é menino ou menina, e que está tudo bem, eis como está o
Dr. Charcot — porque, explica ele várias vezes aos seus
colegas e enfermeiros, envolve-se nisto, começa a gostar
deles, preocupa-se com a sua evolução, tenta perceber
também, isso é um facto, se as suas técnicas são eficazes,

não é só amor pelo próximo, reconhece, há também um certo egoísmo, a observação directa e próxima dos efeitos das suas operações; extracção de partes do cérebro — ele confia nessa técnica, mas gosta de perceber o que acontece depois. Aquele homem, por exemplo, que está já há muitos minutos fechado dentro de uma Igreja que tem apenas 2,59 metros quadrados, esse homem, o Homem--Com-a-Boca-Aberta, gritava muito antes de ser operado, era agressivo, insultava as pessoas. Fez maldades, foi apanhado, foi espancado, quase matou, depois matou mesmo, foi internado e depois, sim, o Dr. Charcot fez-lhe um corte, arrancou-lhe a parte do cérebro doente.

E agora ali está, o Homem-Com-a-Boca-Aberta; não é perfeito, mas o Dr. Charcot é um homem que tenta fazer o melhor. O certo é que o Homem-Com-a--Boca-Aberta está há muitos minutos dentro da pequena Igreja, da tal Igreja que o Dr. Charcot dissera que parecia uma cabine telefónica, de tão minúscula. E ele não sabe o que está o Homem-Com-a-Boca-Aberta a fazer lá dentro, mas tem esperança de que esteja a rezar, de que esteja ajoelhado a rezar.

E por que razão o trouxe para ali? De facto, se fizesse a si próprio esta pergunta, o Dr. Charcot não saberia responder. O que ele sabe é que o Homem-Com-a-Boca--Aberta não tem evoluído, está demasiado passivo, vê o mundo e qualquer coisa que aconteça, boa ou má, assim, de boca aberta, com uma abertura constante, invariável. Não é de espanto, pelo contrário, é o inverso do espanto, é uma boca aberta que aceita tudo, que compreende, não no sentido em que o mecânico entende o funcionamento de um motor, mas no sentido em que aceita, não protesta — está em frente a um assassinato como em frente de um lago, percebe apenas as diferenças do movimento das coisas e matérias envolvidas, entende a Velocidade que os vários acontecimentos têm, mas não consegue dizer se é bom, se é mau. É alguém que só vê a Velocidade, de facto, é isso — o Dr. Charcot explicitou tal observação no último relatório sobre o estado da evolução do Homem-Com-a-Boca-Aberta. É como se ele, do mundo, só entendesse a Velocidade — distingue perfeitamente a lentidão da aceleração, a paragem do arranque; olha para o Comboio a passar e assusta-se porque sabe que aquilo é rápido. Também tem medo do que é muito lento, fica perturbado com isso. Assustou-se, por exemplo, com aqueles movimentos lentíssimos, quase em câmara lenta, da cabeça da Avestruz com o bico enfiado no prato da comida, assustou-se com aquela quase imobilidade da cabeça da Avestruz, imobilidade doentia, esfomeada, que devorava a cabeça da Mulher-Ruiva. Assusta-se com os dois extremos: com a lentidão da Avestruz, com a Velocidade excessiva do Comboio. Assusta-se mas quase não o manifesta, uma tensão invisível, uma tensão que quase ninguém consegue perceber.

Por diversas vezes o Dr. Charcot filmou o Homem-Com-a-Boca-Aberta nu, de todos os ângulos, tentando descobrir uma contracção, um relaxamento excessivo, uma aproximação de músculos, qualquer coisa que denunciasse que algo se movia materialmente, mas também moralmente, no interior da cabeça do Homem-Com-a-Boca-Aberta. O Dr. Charcot fazia a experiência de o colocar a ver filmes.

O Cinema era muito importante.

Ele seleccionara, por exemplo, um pequeno filme de três minutos em que se via o Comboio a avançar a grande Velocidade em direcção à câmara, como se fosse atropelar, abalroar, o homem que filmava e o homem que assistia e pôs esse pequeno filme a passar no ecrã que tinha para esse efeito e, ao mesmo tempo, manteve várias câmaras a filmar o Homem-Com-a-Boca-Aberta, a parte de trás, a parte da frente, e por vezes, muito raramente, sim, lá notava um pequeno movimento de ligeira tensão quando o Comboio se aproximava na tela e ia direito a ele, uma tensão muscular que era evidente, tinha medo, o Homem-Com-a-Boca-Aberta tinha um medo impressionante do Comboio e da sua Velocidade, mas esse medo tremendo, esse pavor, naquele homem neutro, sem reacções, manifestava-se por uma minúscula contracção que só em nudez completa, com câmaras e *zoom* apropriado se conseguia captar.

2. A Igreja — sair

O Dr. Charcot decidiu abrir a porta da Igreja. Quase trinta minutos, bastava. Abriu a porta e ali estava, imóvel, a olhar para ele, de costas para os vários objectos da Igreja, em pé, o Homem-Com-a-Boca-Aberta, fixando-o longamente como quem pedia ajuda, como quem se sentia preso naquele espaço; como se o Dr. Charcot não o tivesse conduzido a uma Igreja, mas a uma cela, a uma solitária, e ele, o Homem-Com-a-Boca-Aberta, não tivesse percebido a origem do castigo — o que fizera de mal para ser assim fechado?

Ao vê-lo a olhar para si, percebendo que ele não se mexera um milímetro e que apenas rodara o corpo, virando a cara para a porta, o Dr. Charcot quase se sentiu tentado a dar-lhe de novo um correctivo exemplar, mas algo no olhar e na infelicidade do rosto do Homem-Com--a-Boca-Aberta o fez controlar-se.

O Dr. Charcot puxou-o cá para fora, sem excessiva rispidez, e perguntou como se sentia.

O Homem-Com-a-Boca-Aberta respondeu:

— Não en-ten-do. Não es-tou a per-ce-ber.

Esta era quase sempre a resposta dele, qualquer que fosse a pergunta.

— Rezou?

O Homem-Com-a-Boca-Aberta ficou muito tempo a ouvir, dentro da cabeça, essa pergunta sem a entender, e depois respondeu:

— Não en-ten-do. Não es-tou a per-ce-ber.

VII

1. **Transporte dos Povos**

IV

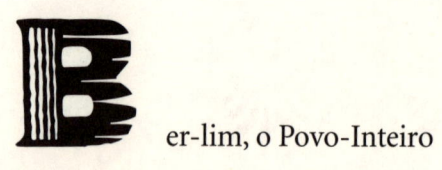

Berlim, o Povo-Inteiro

1. Transporte dos Povos

A confusão é muita, e nada está no solo. Ber-lim olha para cima e há a luz do sol, por vezes demasiado forte, papagaios de papel de crianças, aviões — aeroplanos de dois ou três passageiros e aviões maiores que transportam por vezes um Povo-Inteiro, aos bocados, de um local do mundo para outro, como se transporta carga. De um ponto para outro, em cargas sucessivas, a vida avança; nem sempre um povo está no sítio onde o resto do mundo quer que ele esteja, é preciso deslocar o Povo-Inteiro; e eis, então, que Ber-lim vê e vai tentando perceber o que vê quando olha para cima: vê um Povo-Inteiro a ser levado aos duzentos de cada vez para outro lado... E se se fizerem muitas viagens, ao fim de umas semanas, talvez nem isso, duzentos a duzentos de cada vez, consegue-se deslocar um Povo-Inteiro de milhões. Entra-se na casa à força, partem-se as fechaduras, arromba-se a porta e leva-se o Povo-Inteiro, mesmo que muito numeroso, para o outro lado do mundo; se estiverem mortos, levam-se para um museu; mas não é fácil um Povo-Inteiro deixar-se esmagar, portanto não se leva o Povo-Inteiro para um museu mas para outro lado, para um acampamento, para um sítio, um território onde os animais também transportados se deem bem, apesar de tudo, e onde as plantas, transferidas de outros climas e de outros solos, se deem também bem, cresçam. Vêm de outros céus e de outro chão, mas aqui continuam a crescer, a procriar. Eis como um Povo-Inteiro é tão semelhante a um povo de plantas que o outro lado do mundo exija ou que este lado do mundo rejeite.

VIII

1. A Igreja, de novo — outra forma de não rezar
2. Cheio, poço, vazio — o martelo

C Homem-Com-a-Boca-Aberta, a Igreja, a Avestruz, o Poço

1. A Igreja, de novo — outra forma de não rezar

O Homem-Com-a-Boca-Aberta tem nas mãos um enorme martelo, um martelo das obras capaz de, com pancadas firmes, derrubar, em pouco tempo, um muro.
Mas o Homem-Com-a-Boca-Aberta não se dirige para um muro. De facto, dirige-se para uma cena anterior, como num filme — se ele estivesse no minuto 100, dirigia-se agora para o minuto 30, eis a personagem a travar o normal andamento do filme, a avançar de forma imprevista, para uma cena já feita.
Ali está, o Homem-Com-a-Boca-Aberta, diante da pequeníssima Igreja, da Igreja de 2,59 m², a mais pequena Igreja do mundo.

O Homem-Com-a-Boca-Aberta não gosta da mais pequena Igreja do mundo e, mal chega ao pé dela, levanta o enorme martelo com os seus dois braços e deixa cair a primeira de muitas pancadas. Depois dessa primeira, muitas: a porta da frente rapidamente se parte, depois, as paredes de lado, a parede de trás. Já no interior, porque com o martelo já quebrara a casca do ovo, como a Avestruz costumava fazer com o crânio das pessoas, o martelo avança direito aos ícones, aos pequenos objectos, avança para essas mínimas coisas já com a sensação de que o mais difícil está feito, a casca dura do ovo está quebrada, as paredes deitadas abaixo. A Avestruz avança para o cérebro e o martelo avança para dentro da

Igreja, parte brutalmente a cruz de setenta centímetros de altura, desfaz as imagens, as imagens mais sagradas; quebra-as como se quebra um muro; como se para ele tudo fosse o mesmo material, a mesma matéria que não se diferencia, uma matéria comum de onde tudo vem e onde não se distingue a pedra da madeira ou do ouro. E é isso que ele se vê a fazer: a indicar ao material o caminho de regresso, a apontar-lhe o sítio de origem, a cada martelada, a obrigar as coisas a estarem, como já estão, numa massa informe, onde um pequeno fragmento que compunha a cruz de madeira quase não se distingue de um pequeno fragmento do tijolo que constituía a parede de trás da Igreja.

E o Homem-Com-a-Boca-Aberta mantém a boca aberta. Está a espancar violentamente uma pequena Igreja como se espancasse um homem, já a deitou abaixo, parte agora os bocados que constituíam a Igreja em partes cada vez mais pequenas, sobe de novo o martelo bem acima da sua cabeça, os braços esticados, os movimentos equilibrados, harmónicos como nunca antes, eis o Homem-Com-a-Boca-Aberta com uma sincronização de movimentos e com uma força que espantariam as pessoas que há anos acompanham a sua evolução, nunca ninguém acreditaria naqueles movimentos, na forma como ele é capaz de destruir sozinho uma pequena Igreja em poucos minutos, não muito mais de meia hora, menos de uma hora; quantos minutos foram não se sabe, mas pelo menos alguns, sim, até pôr a pequena Igreja naquele estado: tudo feito em pedaços, tudo reduzido a fragmentos minúsculos; já ninguém conseguiria, naquele momento, reconstituir o edifício original, muito longe disso, provavelmente já ninguém conseguiria, daqueles fragmentos, daquele pó em que estão transformadas as coisas, reconstituir, nem sequer mentalmente, o que estava ali na origem. Ninguém conseguiria afirmar, naquele momento, se minutos antes estava ali uma Igreja ou uma cabine telefónica, pois, aquelas pedras, aquelas lascas de madeira, aqueles brilhos poderiam ser de qualquer coisa pois já não eram nada, eram pó.

2. Cheio, poço, vazio — o martelo

Mas o Homem-Com-a-Boca-Aberta não está satisfeito. Mesmo nas pancadas mais fortes, mais violentas, nas pancadas que provocavam ressonância brutal, ressaltos de pedaços de pedra, lascas de madeira, bocados que o podiam ferir, nem aí o Homem-Com-a-Boca-Aberta fechara a boca. Todos aqueles movimentos espantosos, que resultavam numa espécie de milagre, de associação imprevista de velocidade, força e coordenação de vários músculos e da posição do corpo, toda aquela energia agressiva, impressionante, que era atirada contra a pequena Igreja e depois contra os seus vestígios, contrastavam com a sua boca aberta, como que pasmada, como não entendendo minimamente aquilo que fazia. Pelos movimentos aquele homem não se distinguiria, só a sua boca aberta falhava, só ela denunciava um homem indiferente ao mundo, que não o compreendia. E daí esse milagre espantoso, essa estranheza insanável: ver o Homem-Com-a-Boca-Aberta a fazer aquela acção brutal. Um homem indiferente aos acontecimentos e às coisas e que não os compreendia estava ali, se não a destruir o mundo por completo, pelo menos uma parte dele.

Mas o Homem-Com-a-Boca-Aberta não está contente. Começa a cavar um buraco no solo. Quer enterrar todos aqueles vestígios. Não quer que fique ali um monte de entulho no sítio onde há trinta minutos estava a Igreja mais pequena do mundo. Quer eliminar os restos.

Como se tivesse assassinado alguém e agora precisasse de esconder o corpo, de o fazer desaparecer. É isso que ele faz. Começa a cavar um buraco com um martelo. Mas o solo não cede como ele espera. Não cede como uma coisa alta e construída, o solo resiste àquela ferramenta — não é a arma apropriada. Aquele martelo a bater no solo parece um castigo por algo que o solo tivesse feito. Mas o Homem-Com-a-Boca-Aberta não quer castigar o solo, quer abrir um buraco para aí enterrar o entulho, para lá pôr o que resta da Igreja.

O Homem-Com-a-Boca-Aberta para. Como sempre, a boca aberta, inerte, neutra, os olhos fixos, como se não entendesse nada.

Mas entendeu algo. Entendeu que aquele martelo não servia. Foi buscar uma pá. Voltou ao mesmo sítio. Cavou um buraco, um buraco fundo, tão fundo que poderia ser confundido com um Poço e, para esse Poço fundo, começou a empurrar os restos da Igreja, que já não eram restos da Igreja mas bocados de pedra e madeira, bocados do tamanho de uma bola de pingue-pongue ou de um berlinde.

Eis o Homem-Com-a-Boca-Aberta a empurrar com os pés, primeiro, depois com as mãos, depois com a pá, a empurrar o lixo lá para baixo, porque o lixo deve ser enterrado o mais fundo possível. E depois de o lixo estar lá bem no fundo, porque ele abriu um grande buraco, depois, então, o Homem-Com-a-Boca-Aberta começa a tapar o buraco, a enterrar o lixo, a tapar aquela massa indistinta com terra, muita terra, de maneira a chegar à imagem que tem na sua cabeça: o sítio onde há menos de três horas estava uma Igreja, a mais pequena Igreja do mundo, esse sítio está agora vazio, não é nada, nada se percebe do que ali aconteceu, do que ali esteve, como se aquele espaço, agora vazio, sempre tivesse existido assim.

E o Homem-Com-a-Boca-Aberta está tão contente com o seu trabalho que se vai embora, com a pá na mão, vira as costas. Mas deixa lá o enorme martelo, esqueceu-se dele, um vestígio grande, um vestígio que o pode incriminar. Porém, como pode um homem daqueles ser incriminado, se uma hora depois, quando falam com ele, ele não recorda nem percebe nada? Mantém a sua boca aberta e não entende nem o que lhe dizem, nem o que está a ver, nem o que lhe tentam explicar.

É sempre inocente, o Homem-Com-a-Boca-Aberta, é essa a sua sorte.

IX

1. **O desfile**
2. **A maldição**
3. **A Montanha-Acima-das-Outras--Montanhas**
4. **O processo**
5. **O Caçador**

CPovo-Inteiro, a Torre, o Homem-do-Mau--Olhado, o Povo-Prestes-a-Ser-Amaldi-çoado, Alexandre, Olga, Maria, Tatiana, a Casa-das-Máquinas, os Combatentes, o Povo-Já-Amaldi-çoado, a Montanha-Acima-das-Outras-Montanhas, a Zo-na-de-Morte, o Poço, as Duas-Torres-de-Babel, o Caçador

1. O desfile

Uma vez fizeram isto a um Povo-Inteiro que estava prestes a ser amaldiçoado.

O Povo-Inteiro avançava na rua mais longa porque já sabia que se fosse pelo caminho mais curto terminaria numa parede; sem saída. Por isso o Povo-Inteiro ia pelo caminho mais longo. Mas era um desfile. De um lado e do outro havia bancadas e pessoas de outros povos: assistiam e batiam palmas, se gostavam; assobiavam ao que não lhes agradava. Vários eram os espectadores. De cima da Torre via-se de que forma o Povo-Inteiro se organizava para parecer que estava a exibir as suas habilidades quando na verdade estava a tentar escapar. Da Torre, percebia-se que aquilo não era um espectáculo mas uma fuga aterrorizada. Eles não se exibiam, tremiam.

Ali estava o Povo-Inteiro, nem um dos seus ficara de fora, ali estavam aqueles homens avançando pelo caminho mais longo, recebendo palmas, apupos, flores. Mas pensando em fugir.

2. A maldição

O Homem-do-Mau-Olhado é o convidado principal.

— Queremos que não baixe o seu olho bom um único segundo. Pode ser?

O Homem-do-Mau-Olhado moveu-se na cadeira. A parte da frente do desfile do Povo-Prestes-a-Ser-Amaldiçoado aproximava-se já. Ao seu lado, estavam os quatro meninos: Alexandre, Olga, Maria e Tatiana. Anastácia continuava desaparecida. Onde? Talvez na Casa-das-Máquinas, na floresta, como saber?

Os Combatentes que acompanhavam o Homem-do-Mau-Olhado e que o tinham conduzido para uma cadeira privilegiada — os metros certos acima do solo para que pudesse lançar o seu olhar sobre cada um dos elementos do Povo-Prestes-a-Ser-Amaldiçoado que iria passar à sua frente —, esses Combatentes fixaram-se nos quatro meninos.

— Vocês não deviam estar ali? — perguntaram. — No desfile, lá em baixo?

Alexandre ia para falar, mas foi Olga a primeira:

— Não percebemos o que quer dizer com isso.

Alexandre foi directo e disse:

— Não pertencemos ao Povo-Prestes-a-Ser-Amaldiçoado.

Os Combatentes sorriram.

—Somos quatro irmãos. Éramos cinco. Perdemos a mais pequena, Anastácia.

— E os vossos pais?
— Não sabemos onde estão. Perdemo-nos deles.

O Homem-do-Mau-Olhado foi obrigado a fixar cada elemento do Povo-Prestes-a-Ser-Amaldiçoado que avançava lentamente pelo caminho mais longo.
— Por cada um que não fixes, vai um dos meninos lá para baixo — disseram-lhe.

O Homem-do-Mau-Olhado lançou o seu mau-olhado sobre todo o Povo. Se Alexandre, Olga, Maria e Tatiana fossem daquele Povo-Já-Amaldiçoado seriam agora os únicos sobre os quais não teria caído o mau-olhado. E também sobre Anastácia. É impossível deitar mau-olhado a uma pessoa que está perdida.

3. A Montanha-Acima-das-Outras-Montanhas

A Montanha-Acima-das-Outras-Montanhas tem quase 9.000 metros de altitude.

Quando se sobe acima dos 7.500 metros entra-se naquela que é chamada a Zona-de-Morte. Ninguém consegue suportar aquilo mais do que algumas horas. Gradualmente começará a sentir tonturas, enjoos; vomitará — acabará por morrer.

4. O processo

Funcionava assim.
Acima dos 7.500 metros é a Zona-de-Morte. Os corpos resistiam algumas horas: primeiro, dor de cabeça, depois enjoos, inércia, perda de referências espaciais — vira-te para a esquerda! E eles viravam para a direita. Qual o caminho mais curto? E eles apontavam para o caminho mais longo. Isto é um Poço ou uma Torre? E eles não sabiam responder.

Depois começavam os desmaios. Em horas morriam de paragem cardíaca ou respiratória.

Quando o corpo entrava num território a grande altitude, havia, inicialmente, uma euforia orgânica. O corpo parecia mais ágil, cheio de energia, capaz de construir, se necessário, Duas-Torres-de-Babel. Mas tal euforia durava pouco; rapidamente, o corpo percebia que, afinal, estava cercado por algo que não tinha forma nem era coisa sólida ou física, estava cercado por ar e seria por causa desse elemento que iria morrer.

O processo é simples.
Se esse Povo-Já-Amaldiçoado quer chegar ao ponto mais alto da Terra, que se faça a sua vontade. Os Combatentes conduzem esses homens para a Montanha-Acima-de-Todas-as-Outras-Montanhas. A 8.848 metros de altitude, no seu topo.

Mas um Povo-Inteiro não cabe no topo de uma montanha, mesmo que seja a Montanha-Acima-de-Todas-as-Outras-Montanhas. São muitos milhões.

O importante era a barreira dos 7.500 metros — acima dela, a Zona-de-Morte — dali não poderiam sair.

Abaixo dessa linha estão Combatentes armados que disparam sobre cada homem, mulher ou criança do Povo-Já-Amaldiçoado que tenta sair do ponto mais alto da Terra para um ponto mais baixo.

Os Combatentes, mesmo estando abaixo dos 7.500 metros, vão-se revezando pois não suportam aquela altitude mais do que alguns minutos com energia e atenção.

Quanto aos elementos do Povo-Já-Amaldiçoado estão todos acima dos 7.500 metros. Um tenta descer: é atingido, morto com uma bala.

Vinte deles combinam entre si e saem a correr enquanto têm força, caindo quase todos, primeiro devido à excessiva velocidade com que tentam descer a Montanha-Acima-de-Todas-as-Outras-Montanhas, mas depois, mal se levantam ou mesmo ainda no chão, são mortos com balas de espingarda.

Entre os Combatentes está o Caçador, que se ofereceu para ajudar.

Tem uma arma, uma arma com que costuma caçar — veados, lobos, ursos, outros animais selvagens. É um excelente atirador. Foi aceite.

Uma outra mulher tinha um machado. Nunca tinha assassinado ninguém. Queria saber como era. Foi aceite.

Um homem do Povo-Já-Amaldiçoado tentou descer e foi a mulher quem o matou.
Outro homem foi o Caçador quem o matou.

5. O Caçador

O Caçador entusiasmou-se, queria acertar em mais animais.

Há uma espécie de águia que voa a grandes altitudes, voa mesmo sobre o topo da Montanha-Acima-de--Todas-as-Outras-Montanhas ou, pelo menos, à volta destas altitudes — 7.500, 8.000 metros. Essas aves conseguem retirar oxigénio do ar a estas baixíssimas pressões. Têm superpulmões.

Eram estes os animais que o Caçador queria apanhar. Nunca caçara àquela altitude e por isso arriscou.

Começa a subir, os Combatentes deixam — é uma decisão dele.

O Caçador subiu, passou a barreira dos 7.500 metros. Viu vários corpos do Povo-Já-Amaldiçoado, uns já caídos, desmaiados, outros que mal se aguentavam em pé — e a pressão na sua cabeça era já enorme.

Viu pais, mães, filhos, adultos, tudo cedia à pressão do ar àquelas altitudes.

Mas o Caçador avançou. O que ele queria era encontrar algum animal selvagem. Caçar animais a grande altitude.

Sentiu uma dor de cabeça forte, mas não parou. Lembrou-se, nessa altura, do Homem-do-Mau-Olhado que o fixara com um único olho — e sentiu algum receio.

Estava agora a tremer: precipitara-se, não deveria ter passado a barreira dos 7.500 metros, não deveria ter entrado na Zona-de-Morte.

Acima dos 7.500 metros, só o Povo-Já-Amaldiçoado — estava escrito numa placa.
Mas ele ignorara a placa. Era um caçador, avançava. Estava excitado com a ideia de animais com pulmões extraordinários, capazes de voar àquela altitude.
Sentiu um enjoo, parou e de súbito vomitou. O quê? Que comera ele? Não sabe, não se quer lembrar. Avança. Continua a subir, apesar de tudo. Mais uns metros. Ainda não viu nenhum dos animais que se dizia que voavam acima dos 8.000 metros, só via o Povo-Já-Amaldiçoado — uns já mortos, outros a desfalecer, nenhum com força suficiente para o ameaçar. De repente, o Caçador cai. O que se passa? O que é aquilo na sua cabeça?
A Zona-de-Morte — e ali está ele. O estúpido. Está tonto, a cabeça à roda. Tenta identificar a mão esquerda, a mão direita. A mão direita é a que carrega mais peso, é a mão que tem o metal. Identifica os dois lados do corpo não pelo corpo em si mas pelo metal que carrega, pelo sítio onde está a arma.
Em poucos minutos a coisa agrava-se. Mais vómitos. Não percebe já se tem a cabeça virada para cima, para o céu — ou para o chão, para a terra, para a neve. Está quase a desaparecer, os olhos quase se fecham, mas antes de morrer ainda vê uma ave, sim, uma águia, percebe por isso, só por isso, que tem o rosto virado para cima.

X

1. **Moscovo apresenta-se — no Comboio com Pa-pa-ris**
2. **Perder a música, perder o juízo**
3. **Adormecer numa cama alta**
4. **Um jogo**

Moscovo, o Comboio, Pa-pa-ris, os Combatentes, o Médico, a Cabra-Cega

1. Moscovo apresenta-se — no Comboio com Pa--pa-ris

— Para onde vai?
— Para Paparis.
— Para Paris?
— Siiim.
Moscovo, o russo, está ao lado — os dois vão no mesmo Comboio mas para destinos opostos. Não sabem como isso é possível.
— Como se chachama?
— Moscovo, sou russo.
O russo ia para Moscovo e Pa-pa-ris ia para Paris.
Os dois estavam na mesma carruagem. O Comboio avançava a grande Velocidade, e os dois tinham a ilusão de que iam na direcção certa, como se fosse possível o mesmo Comboio, partindo de um ponto situado exactamente no meio das duas cidades, avançar, no mesmo momento, para Paris e para Moscovo.

2. Perder a música, perder o juízo

Moscovo, o russo, levanta-se e desloca-se para o banco em frente. Agora está olhos nos olhos com Pa-pa--ris, o gago.

Moscovo aponta para a sua frente:
— Para ali, Moscovo.
Pa-pa-ris copia o gesto:
— Para aali, Paparis.

Moscovo, o russo, levanta-se e baixa a janela de vidro. Olha lá para fora. Tal como muitos outros passageiros, tenta perceber em que direcção vai o Comboio. A Velocidade é tanta, é de tal forma brutal, que ele não percebe em que direcção o Comboio avança. Fecha o vidro, senta-se e deixa-se estar. Pensa que quando chegar ao destino, quando o Comboio parar, logo saberão quem tinha razão. Se sairiam em Moscovo ou em Paris.

— É um Comboio perigoso — murmurou Moscovo, o russo. — Dizem que põe as pessoas loucas, que as pessoas perdem o juízo, que umas ficam cegas, outras nunca mais conseguem ouvir música. Não ficam surdas, conseguem ouvir as conversas e os ruídos dos animais, mas deixam de conseguir ouvir música, perdem o ouvido para isso. Estranho, não?

Pa-pa-ris havia adormecido, não respondeu.

3. Adormecer numa cama alta

Paris e Moscovo descem num cais que nem um nem outro identificam. Paris quase tropeça, Moscovo ampara-o. Parecem bêbados porque os seus passos são trôpegos e as frases que dizem mal se entendem. Mas não estão bêbados, estão loucos.

Há quatro Combatentes à espera deles. Moscovo é o primeiro a ser levado. Depois, dois metros atrás, Paris.

Os Combatentes levam aqueles dois homens para o hospício.

Sentam Paris numa cadeira normal e dizem:

— Agora espere aqui.

Levam Moscovo para a cadeira dos choques eléctricos. Havia sido experimentada na véspera e estava a postos.

— Um choque eléctrico para pôr a cabeça de novo a funcionar — explicou um homem, o Médico, a Moscovo.

Moscovo acenou com a cabeça; por ele estava bem. Podiam avançar.

— Não deviam ter vindo pelo caminho mais curto — disse o Médico.

Moscovo respondeu que não sabiam.

— Começámos isto com ratos. A coisa resulta. O caminho mais curto está quase deserto, o caminho mais longo está cheio de pessoas.

Moscovo acenou com a cabeça. Não entendia muito do que lhe diziam. Colados ao crânio, os eléctrodos.

O Médico afasta-se, liga a máquina. Um grito enorme, um grito brutal, diabólico, uma dor intensa.

O Médico para.

— Foram sete segundos. Só sete segundos, repare. Como um tremor de terra, um tempo mínimo, mas uma força significativa. Um tremor de terra provocado intencionalmente na sua cabeça. Sete segundos e aqui está: você, um outro homem.

Moscovo levanta-se da cadeira, sorri para o Médico; depois, de súbito, as pernas dobram-se, a cabeça avança para a frente, cai desamparado no chão.

Dois enfermeiros entram na sala e ajudam-no. Olham para ele como se fossem os alunos inteligentes e ele fosse o imbecil, o que nunca responde certo, o que esquece tudo o que aprendeu, o que não sabe o nome dos governantes, dos mares e dos rios.

— Qual é o maior lago da Rússia? — pergunta um dos enfermeiros a Moscovo.

Moscovo não responde. Não consegue falar. Direcciona toda a sua energia para as pernas, para não cair — como poderia falar, se era necessário tanto esforço para não cair?

Os dois homens percebem: não consegue falar, está fraco.

Moscovo diz, lá do fundo, com um esforço enorme:

— O maior lago da Rússia é o Baical. Tem 6.360 metros de comprimento e 800 metros de largura.

Os dois homens olharam-se e nada disseram. Admiram aquele homem que estava fraquíssimo, que acabara de apanhar um violento electrochoque, que mal conseguia suster-se de pé, que tinha os músculos entorpecidos, sedados, que fazia um esforço desesperado para não cair e que, mesmo assim, respondera à pergunta.

Os enfermeiros mudaram de comportamento em relação a Moscovo. Levaram-no até ao quarto com jeitos cuidadosos, quase gentis:

— No final deste ano está a tomar um banho no lago Baical — dizem-lhe.

O hospício era enorme. Moscovo iria ficar no quarto 700.

— Um banho no maior lago do país, que tal?

Moscovo não responde de imediato. Vê-se que procura agrupar todas as forças que naquele momento lhe restam:

— O lago... — mas para. Não tem forças para mais.De novo, um esforço — o lago Baical tem a água gelada.

Ainda ia dizer qualquer outra coisa, mas não foi capaz. Desistiu.

Os enfermeiros levaram-no delicadamente para a cama. Pousaram-no como um peso morto em cima dos lençóis — uma perna, a perna esquerda, depois a perna direita, etc.

Moscovo está todo lá em cima — a cama é absurdamente alta para um hospício, para pessoas que estão fragilizadas —, o colchão está ao nível do peito de uma pessoa de estatura normal: é demasiado alto, os enfermeiros vão reclamar, não é prático, mas de qualquer maneira Moscovo sente-se bem, agradece aos homens. Está quase a desmaiar, mas sente-se num posto privilegiado.

Estou a ver tudo daqui, do topo, pensa Moscovo para si próprio, e quase ri, com o disparate. Em poucos segundos adormece.

4. Um jogo

Moscovo recorda o jogo da batalha naval — cruzar letras horizontais com números verticais, uma letra e um número, a posição de um barco. Ataca-se às cegas um espaço fantasma. Cegos a disparar sobre posições tentando acertar no inimigo; a disparar, portanto, em direcção ao cruzamento de uma linha horizontal e de uma vertical, para um ponto, para um alvo, mesmo cegos, mesmo quando lhes tapam os olhos como no jogo da Cabra-Cega e lhes passam a arma para as mãos.

Adormece de novo.

XI

1. Moscovo faz dezoito anos — a primeira bala
2. A segunda bala, a terceira e a quarta
3. O silêncio, a respiração e o espaço
4. A sexta e a sétima balas — tudo certo
5. A última bala
6. Anastácia!
7. O tiro

Moscovo, o Salão, Alexandre, Olga, Maria, Tatiana, Anastácia, o Lobo, a Boneca, o Jogo-de-Iniciação, a Senhora-Baronesa, o Padre, o Homem-Mais-Astuto, o Gigante, a Cabra-Cega, Oito-Balas, a Torre

1. Moscovo faz dezoito anos — a primeira bala

E assim aconteceu quando Moscovo fez dezoito anos. O Salão enorme, o Salão de um palácio, e estavam ali dezenas e dezenas de convidados, os convidados mais ilustres, mais nobres. Com grandes vestidos, as mulheres, e com as mais belas joias; os maridos traziam as suas medalhas no casaco, as suas condecorações, o seu ar sóbrio e recatado. Os lustres brilhavam; uns adivinhavam, tentavam adivinhar, se ali, no meio, nesse céu mais baixo, havia diamantes porque o brilho dos lustres parecia vir realmente de pedras preciosas. E os empregados: um guardanapo de linho no pulso, a bandeja com pequenos aperitivos; e tinham vindo cozinheiros de todos os cantos do mundo.

As melhores e mais raras especialidades estão ali, passando entre os convidados que bebem champanhe e brindam já aos dezoito anos que se comemoram, os dezoito anos de Moscovo.

Ali no meio, as cinco crianças, são as únicas: Alexandre, Olga, Maria, Tatiana e Anastácia. Anastácia, que bom ela estar de volta, acomoda-se no colo de um velho que lhe conta a história do Lobo que, enganado, engoliu uma bala — e não morreu.

— Que aconteceu à bala? — pergunta Olga, que está ali ao lado e também ouviu a história.

— Comeu-a, o Lobo comeu-a — diz o velho, falando para Olga mas principalmente para Anastácia.

Alexandre pega Tatiana ao colo. O velho tira da mão de Tatiana a sua Boneca, Tatiana chora; Alexandre brinca com ela, o velho também. O velho pousa no chão Anastácia que começa a andar não se sabe para onde, avançando ao nível das pernas dos outros convivas. O velho brinca a esconder a Boneca de Tatiana atrás das costas, Tatiana não gosta, chora, Alexandre acalma-a, e Anastácia já desapareceu.

Eis que o Jogo-de-Iniciação vai começar.
A Senhora-Baronesa curva-se e cumprimenta o Padre, que entrou mais tarde mas já ocupa o centro da sala ou, pelo menos, obriga a que na sala existam dois centros: um onde está ele agora a falar de Jesus, e outro onde está o Homem-Mais-Astuto, que fala sobre o que aí vem, do medo de uma Revolução que faça tremer os edifícios e as crianças. Esse homem aponta para as crianças — para aquelas quatro (onde está Anastácia?) — e diz, solene:

— São eles quem mais vai tremer se vier o Gigante.
A Senhora-Baronesa vê a sua filha a ser cortejada por um jovem bonito e reconhece esse jovem e faz que sim com a cabeça, um sim com a cabeça tão explícito que a sua filha deve ter sentido, embora a metros da mãe, que aquele homem teria de ser agarrado.

Mas eis que alguém bate palmas e há gritos de entusiasmo. Algumas pessoas pousam os copos na mesa, outros acenam aos empregados para que peguem nesses copos e os levem nas bandejas.

Moscovo acaba de entrar na sala, está ali, num ponto visível para todos. É um grande dia, faz dezoito anos. Dezoito anos, diz o velho, e logo a sua esposa repete o mesmo: dezoito anos, diz para os quatro meninos. Olga sente inveja, também quer ter essa idade. Alexandre está calmo, olha por Tatiana, que está ao lado de Maria, mas subitamente lembra-se de que não está a ver Anastácia — onde se terá metido ela? Olha para todos os lados, não vê a pequenina, mas as palmas pararam e o jogo vai começar.

Alexandre ainda tem tempo para pensar que certamente Anastácia estará algures no colo de alguém amigo, a pequenina Anastácia, como gosta dela.

E ali está o rapaz que faz dezoito anos, Moscovo. Estão a vendar-lhe os olhos. Vão brincar à Cabra-Cega. Não há explicação nem longo discurso. Os convidados já pressentem algo e em alguns sente-se já um medo, um leve tremor, e os copos são pousados à pressa nas mesas; outros mantêm ainda a calma e acabam de beber o que têm no copo, como se quisessem aproveitar tudo até ao fim.

O jogo vai começar: passam a pistola para a mão de Moscovo. Faz dezoito anos. Dezoito anos!, alguém grita, e batem-se palmas.

A pistola tem Oito-Balas, Oito-Balas. Alguns dos convidados já perceberam e querem sair dali, tentam aproximar-se da porta. O Padre, com o seu acólito, vira subitamente as costas a quem o escutava antes e aproxima-se de uma das portas de saída do Salão, mas estão todas fechadas: quem está no Salão já não pode sair.

Moscovo é a Cabra-Cega e levanta já o braço direito apontando a pistola em direcção a um ponto, um ponto onde está imensa gente.

Subitamente, um alvoroço enorme: há gritos e rápidos movimentos, homens empurram outros para sair daquela zona, as pessoas baixam-se, já é difícil distinguir onde está o Padre, Alexandre, Olga — nem os meninos se distinguem porque a maior parte dos adultos está agora com a altura deles, estão dobrados, curvados, uns a rastejar; onde está a Senhora-Baronesa e a bela filha e aquele homem bonito aprovado pela Senhora-Baronesa com a sua cabeça sim-sim?

Todos se movimentam para todo o lado, e o que antes eram pessoas solenes e distintas, com características diferentes, que tinham nome, ofícios, heranças bem conhecidas, honrarias; tudo isso subitamente desaparece quando Moscovo levanta o seu braço direito e com o seu dedo começa a apertar o gatilho com a arma apontada numa certa direcção.

O Salão do palácio é agora composto de uma massa informe, uma massa única, ninguém se distingue, é preciso insistir: nem as cinco crianças (onde está Anastácia?), nem o Homem-Mais-Astuto, nem o homem que falava de Jesus.

E como se, apesar de tudo, fosse uma surpresa, o primeiro tiro de Moscovo. O primeiro tiro verdadeiro.

Há gritos, de mulheres e homens, mas quem naquele instante consegue distinguir gritos femininos de gritos masculinos? No entanto, é claramente uma voz de homem que berra agora como uma criança perdida.

Moscovo tinha ainda sete balas e rodou a sua mão para a esquerda, em direcção a uma parede com um enorme espelho, e ali ficou, sem o saber, alguns segundos, apontando a arma directamente ao espelho, de tal forma que, se ele não tivesse a venda nos olhos, veria agora no espelho um homem de dezoito anos, com uma venda, a pontar uma pistola, com um braço elevado, paralelo ao solo. Se Moscovo disparasse naquele momento acertaria no espelho e, mais do que isso, na sua própria imagem, mas se o fizesse, e se o ruído do Salão acalmasse, o que ele conseguiria escutar seria o barulho do espelho a partir-se, nunca adivinharia que aquele som acompanhava a imagem de si próprio, que se partiria também, que deixaria de existir, que desapareceria.

Mas Moscovo não disparou nessa direcção, ele, aliás, já não sabia o que era isso, uma direcção. Estava tonto, recuperara um pouco, mas estava ainda tonto. O jogo da Cabra-Cega fora assumido com rigor; antes de lhe passarem a arma para a mão tinham-no obrigado a dar sete voltas sobre si próprio, Moscovo ficara tonto e o Norte e o Sul estavam agora, para ele, no mesmo lado, Este e Oeste coincidiam como um traço de caneta por cima de outro traço de caneta. Não havia, pois, direcções; para Moscovo existia apenas um peso na extremidade da mão, um peso que era a arma, uma pistola, e havia ainda outra coisa, no meio da tontura, do desequilíbrio que aquelas voltas sobre si próprio tinham provocado, havia o orgulho dos dezoito anos, o orgulho de ter avançado para um patamar forte que ali estava bem evidente — com a pistola na mão e Oito-Balas ele amedrontava a cidade inteira; as pessoas mais ilustres da cidade estavam com medo de Moscovo, do jovem de dezoito anos.

2. A segunda bala, a terceira e a quarta

E sai a segunda bala. Gritos e mais movimentos rasteiros: os homens estão todos a andar quase de gatas como se voltassem a ter um ano, a gatinhar de novo como animais de quatro patas. Alexandre grita: Onde está Anastácia?! Puxa Tatiana mas não sabe também das outras — nem de Olga nem de Maria —, e não sabe porque acabou a visão naquela sala; ninguém vê nada, só veem, só têm olhos para Moscovo, o rapaz que faz dezoito anos e que, com uma venda, vai disparando ao acaso, às cegas, sobre as pessoas que estão no Salão.

Acabou a visão e só há o tacto para Alexandre e por isso ele só sabe onde está Tatiana porque a leva pela mão, a sua mão direita na mão esquerda da pequena Tatiana. Segura também a Boneca, que segundos antes do começo do jogo conseguiu tirar das mãos do velho que não parava de se rir e assustar Tatiana. Mas a Boneca está ali a salvo, e Alexandre puxa a irmã tentando estar sempre fora do ângulo do braço direito de Moscovo. Ele só vê, portanto, com a mão direita, pois, tal como os outros todos, não larga de vista Moscovo, porque o medo é uma coisa impressionante, uma atmosfera nova que caiu do tecto e os enredou por completo. São agora uma manada, uma mancha; uma manada de animais que pertencem ao mesmo mundo, caminham com o mesmo sentido de orientação. Têm os mesmos objectivos.

Jesus está ali na cabeça do Padre; e a Senhora-Baronesa acaba de empurrar violentamente um corpo pequeno, uma massa pequena que ela nem percebe que é uma criança porque só tem olhos para Moscovo, para a arma que anda ali, percorrendo meticulosamente um ângulo de cento e oitenta graus, assustando todos e orgulhando--se do medo que consegue criar. E onde está o Homem--Mais-Astuto? Ninguém sabe, nunca mais foi visto.

A Senhora-Baronesa empurrou violentamente a criança, mas não havia ódio entre as pessoas, não havia a mínima hostilidade, tratava-se apenas de matéria, de coisas que ocupavam espaço — as pessoas eram barreiras, elementos duros que não permitiam que o corpo de quem se queria esconder avançasse, empurravam-se uns aos outros como se estivessem a afogar-se e com aqueles movimentos quisessem afastar a água que os rodeava.

E o terceiro tiro sai da arma de Moscovo e agora, pela primeira vez, um homem é atingido — quem é ele? — é o primeiro tiro que acerta num homem. Ninguém tem curiosidade de ver quem foi atingido; os olhos só existem para ver Moscovo, para se fixarem no cano da arma.

Ninguém vê nada: porque um está vendado e os outros estão também cegos para tudo o resto porque só veem o rapaz que faz dezoito anos e tem os olhos vendados. Todo o Salão está assim cego e grita. Todos cegos, como se tivessem subitamente perdido a visão ao mesmo tempo, excepto a visão que se dirige, toda, inteira, para os movimentos de Moscovo, para os tentar prever. E eis que vem outro tiro e os gritos são já muitos, mas só uma voz é claramente a voz de um ferido que pede ajuda, que continua a pedir ajuda, mas pede-a no momento errado, no momento em que ninguém a pode dar pois o jogo da Cabra-Cega ainda não terminou e um jogo não pode ser interrompido assim, ninguém pode sair a meio de um jogo, isso é uma vergonha, sempre foi, desde crianças que todos sabem que é inaceitável desistir a meio só porque se está a perder ou só porque se tem medo de ser morto ou ferido; têm de jogar até ao fim. Agora, porém, as vozes acalmam porque Moscovo baixou o braço e tem a pistola a apontar para o chão e os seus músculos começam aos poucos a relaxar e o seu dedo indicador direito começa também lentamente a diminuir a tensão sobre o gatilho e assim se entra num outro momento no Salão — como se existisse uma orquestra e o ritmo da música tivesse mudado por completo, para um momento de calma, onde há tempo para cada um procurar o seu par para a nova dança. Alguns, poucos, rodam então a cabeça e tentam localizar os que há minutos estavam próximos de si.

O pequeno Alexandre levanta a cabeça. Tem a Boneca na mão esquerda, tem a mão de Tatiana na sua mão direita, chama por Olga, que grita do outro lado. Onde está Maria? Um olhar rápido para Moscovo que continua com o braço a apontar para o solo. Alexandre grita por Maria, Maria responde; há muitas vozes no meio, muitas mulheres que perguntam pelos seus maridos, a Senhora-Baronesa que chama pela filha, o Padre que chama por Jesus, há muitas pessoas a chamarem-se umas às outras e do que Alexandre se envergonha naquele momento é de que não esteja ali nenhum pai a chamar pelos cinco filhos, nenhuma voz feminina a gritar por eles.

Mas rapidamente regressa às suas responsabilidades, é o irmão mais velho: Anastácia! Onde está Anastácia?, grita em direcção ao ponto de onde vem a voz de Olga. Mas não há tempo para respostas, não há tempo para encontrar, nem sequer pela voz, a pequenina Anastácia.

Moscovo já levanta de novo o braço. Endireita a venda com a sua mão esquerda — quer os olhos bem tapados, não é um batoteiro. Tem dezoito anos e ali está ele no grande jogo. Não quer ver nada, não quer que nenhuma acção seja intencional, tudo deve ser ao acaso; as vozes que ouve perturbam-no, identificam-se; percebe, por exemplo, no meio de muitas outras, vozes de crianças — e isso irrita-o.

Moscovo não quer ser impiedoso, está a jogar à Cabra-Cega, não quer saber quem está ali à sua frente, não quer saber se na sala estão pessoas de quem gosta ou se está o velho que, quando ele era mais novo, o humilhou. Não quer saber.

Não quer conhecer a posição de ninguém, não quer matar por ódio, quer disparar, como num jogo da batalha naval, para uma posição, para um ponto ao acaso, um cruzamento entre uma linha horizontal e uma vertical, o cruzamento entre uma letra e um número; quer disparar agora, por exemplo, em que de novo tem o braço esticado a apontar para a frente, quer disparar como se fizesse pontaria, às cegas, para o ponto B7 ou D10 ou F6, qualquer um serve, porque ele nem recuperou sequer o equilíbrio por completo. Aquelas sete voltas sobre si próprio deixaram vestígios. Recuperou já bastante, mas não o suficiente para ter a certeza de que está a apontar para o C4 ou para G10; está ainda mais cego do que alguém que na batalha naval não sabe o jogo do adversário.

Moscovo não sabe em que posição estão as pessoas e não tem sequer noção do tabuleiro que aquele Salão faz existir; porque aquilo é um tabuleiro gigante, e as peças estão numa posição ou noutra, sempre em movimento, tentando afastar-se da mira da arma; de facto, está tão desorientado que não percebe se o tabuleiro começa à direita ou à esquerda. Não percebe a orientação do próprio espaço e não conhece a posição das peças.

Se Moscovo estivesse no centro do Salão tudo seria mais fácil — para as peças, seria só tentar estar sempre nas suas costas —, mas Moscovo não está no centro, está numa extremidade, tem uma parede atrás de si — como um caçador que tivesse subido à Torre para acertar com mais precisão nos animais.

É perigosa, esta posição de Moscovo; é assustadora, esta posição de Moscovo.

E o quarto tiro, em quem acertou?

3. O silêncio, a respiração e o espaço

Tem ainda quatro balas e Moscovo não as quer desperdiçar.

Sabe que aquele é um grande momento. Faz dezoito anos, é uma data importante.

As vozes irritam-no e tem tendência para as seguir com a mão, tentando acertar nelas; calando-as, se possível.

E as pessoas do Salão já perceberam isso porque o quinto tiro foi rapidíssimo, de surpresa, em direcção a uma voz que se ouvira um segundo antes, num movimento que pela primeira vez não parecera gratuito mas intencional: Moscovo tentou acertar naquela voz e isso provocou uma mudança brutal no ambiente do Salão.

Mais uma vez, o Salão parecia ter alterado a música e todos os bailarinos mudaram, de uma vez, de estratégia e passos de dança. O silêncio instalou-se e já não havia gritos mas burburinhos, sons a desaparecer — as peças do tabuleiro haviam entendido que Moscovo disparava em direcção às vozes que ouvia. Por isso, agora, o Salão está mudo, como se bruscamente se tivesse esvaziado e é isso que Moscovo sente, pois não vê nada com a venda e agora quase não ouve nada porque o medo transformou-se numa coisa que obriga as pessoas a ficarem caladas e a nem sequer fazerem barulho com os pés. O som, a sua intensidade, desceu de tal forma que em poucos minutos as pessoas respiram como se estivessem atrás de uma porta, no jogo do esconde-esconde. Todos, subitamente, num regresso à infância, num regresso brutal ao jogo do esconde-esconde. Estão a esconder-se — que estranho aquilo tudo! — mas a esconder-se de um homem que está cego, que tem uma venda nos olhos, que não consegue ver nada à sua frente. Estão a esconder-se evitando os sons, a esconder-se não atrás de uma cómoda nem de um móvel mas atrás do silêncio, do impressionante suspender da respiração.

E sim, alguns encontraram o mais belo esconderijo: há vários homens e uma mulher que se amontoam atrás de um dos poucos móveis do Salão. E o que é mais terrível: a luta por essa posição que protege. E o que é mais terrível ainda: é que o Salão foi preparado para a dança, os móveis haviam sido praticamente todos removidos; o Salão estava aberto, livre, para que as pessoas falassem, primeiro, umas com as outras e, mais tarde, para que pudessem dançar. E aquilo que havia sido tão elogiado — o espaço aberto que permitira uma invulgar proximidade física entre os convivas —, isso, esse deserto, era agora aquilo que todos, mesmo não pensando nisso, amaldiçoavam.

4. A sexta e a sétima balas — tudo certo

Moscovo faz dezoito anos e tem ainda três balas na arma.

Feriu um homem, matou outro. Ou pelo menos é o que se percebe nesta pausa em que o ruído foi suspenso: há um homem caído no chão que já não grita nem fala nem murmura e há outro que pede ajuda, que pede socorro.

É em direcção a esta voz que pede socorro que Moscovo aponta agora a sua arma, tanto quanto consegue com os olhos vendados.

O homem ferido não se apercebe do que está a acontecer pois a sua posição não lhe permite ver que Moscovo está naquele momento a afinar o tiro, a apontar e a ajustar aos poucos a direcção do seu braço na linha que vai da sua arma até à voz do ferido que não se cala. E ninguém diz nada, ninguém o avisa, todos percebem instintivamente que o tempo é agora de fazer silêncio, ninguém tem coragem para se mostrar falando, já perceberam para onde aponta Moscovo e por isso aquilo a que se assiste agora no Salão é, não a um tiro do acaso, não a um tiro da Cabra-Cega mas a uma execução.

Moscovo tem dezoito anos, mas já treinou muito. O seu braço está firme e, a cada som que vem do ferido, ajusta-se uns centímetros, e a mão, que no início apontava para um ponto, um metro ao lado do ferido, está agora a apontar para muito perto da cabeça.

É evidente que aqueles instantes são de alívio para o Salão inteiro; um tempo, um intervalo de segurança; sentem-se protegidos nos instantes em que Moscovo aponta na direcção da cabeça do ferido que pede por socorro. Por segundos conseguem não olhar para Moscovo e muitos olham para o ferido e por isso assistem a um dos lados da execução, tal como outros, os mais medrosos ou os mais cautelosos, assistem ao outro lado da execução — à mão firme de Moscovo e ao seu dedo indicador direito que se contrai e faz accionar o gatilho.

Um estrondo, agora, enorme, porque tudo estava em silêncio e por isso, por causa daquela pausa, por causa daquela ansiedade, o som da bala soou no Salão como se fosse a bala de um canhão e a voz do ferido calou-se subitamente porque a bala — Viva Moscovo! —, a bala acertou em cheio na cabeça do ferido e calou-o.

Viva Moscovo!, pensou, mais do que uma pessoa, naquele Salão. Não porque tivessem algo contra aquele que acabou de ser executado, como diante de um pelotão de fuzilamento. Não, pensaram Viva Moscovo!, mesmo que não explicitamente, porque havia uma admiração pela perícia militar, pelas habilidades que os homens conseguiam fazer com as armas, e aquilo a que acabavam de assistir não deixava de ser um enorme feito de perícia militar. Moscovo, um rapaz de dezoito anos, com os olhos vendados, acabara de acertar em cheio na cabeça de um homem, a mais de quinze metros. Tratava-se de uma façanha que numa outra qualquer situação provocaria uma onda de elogios e aplausos, mas ali não, porque havia ainda duas balas na pistola de Moscovo.

E Moscovo, naquele momento em que faltam duas balas, surpreendentemente diz:

— Tenho uma bala para o Padre e outra para a pequenina Anastácia.

Foi isto que Moscovo disse, explicitamente, no meio daquele silêncio aterrorizado do Salão:

— Tenho uma bala para o Padre e outra para a pequena Anastácia.

O Salão tremia como se o que estivesse a acontecer fosse não um jogo da Cabra-Cega mas um tremor de terra que estava a abalar as estruturas do palácio e, com elas, os móveis, o chão, os lustres.

Moscovo, depois de uma pausa, mantendo movimentos oscilatórios do braço, com a arma passando por todos os pontos, insistiu:

— O Padre e a pequenita Anastácia.

Ninguém disse nada, ninguém se atreveu a dizer nada. Havia só, ao longo de todo o Salão, pela primeira vez, um sentimento de compaixão pelas pessoas nomeadas por Moscovo. Mas o sentimento de compaixão era quase exclusivamente dirigido para Anastácia, uma bebé, que nada percebia ainda do mundo. Era incompreensível. Porquê escolher uma bebé?

Em relação ao Padre alguns sentiam compaixão, sim, mas moderada, e havia muitos que nem um segundo pensaram nele; alguns, mesmo que não o admitissem, admiravam Moscovo pela decisão que havia tomado. Porém, em relação a Anastácia ninguém percebia, ninguém ficara contente.

De qualquer maneira, ninguém falou. Um ou outro

terá pensado no Homem-Mais-Astuto. Onde estava ele? Desaparecera por completo. Como conseguia ele aquilo?

Moscovo está a ficar irritado:

— Onde está o Padre? — perguntou.

Ninguém respondeu.

— Vou disparar ao acaso — disse e apontou o braço em várias direcções.

Depois parou e repetiu:

— Onde está o Padre?

Ainda a pergunta estava a ser feita e havia já alguns movimentos importantes nas peças do jogo. As pessoas que estavam agachadas próximas do Padre começaram a afastar-se dele. O Padre, a princípio, tentara seguir esses movimentos, mas em segundos — tudo era muito rápido — percebeu que era inútil e assim estava já aberta, em silêncio, uma pequena clareira em seu redor.

O Padre estava a tremer, mas sabia que, naquele instante, Moscovo ainda não fazia a mínima ideia da sua posição. A8, G10, D5? Não havia nenhum indício, o Padre não tinha falado, não tinha gritado. Estava por isso ali, imóvel, junto à parede do lado esquerdo de Moscovo, a cerca de vinte metros, a procurar respirar em silêncio, tentando controlar o medo.

Moscovo repetiu, agora mais lentamente, de uma forma terrível, que fez o Salão calar-se ainda mais, respirar ainda mais baixo:

— Onde está o Padre?

Uns segundos de silêncio e depois ouviu-se uma voz.

— Do seu lado esquerdo, a vinte metros.

De quem era a voz? Algumas cabeças levantaram-se, outras permaneceram baixas.

Moscovo acabara de virar a pistola para o seu lado esquerdo, mas estava ainda distante do alvo. A mesma voz disse:

— Mais para a sua direita. Não tanto, menos. Um pouco mais, aí.

A mão de Moscovo parou. O Padre estava quase debaixo da sua mira.

Moscovo não teve necessidade de dizer mais nada. Outra voz, outra voz de homem, orientou:

— Baixe um pouco o braço. Um pouco mais. Assim. Não, menos. Suba dois centímetros, isso.

Ouviu-se uma outra voz que disse apenas:

— Isso.

De súbito, todos se calaram. Não houve mais nenhuma indicação. O Padre estava exactamente debaixo da mira de Moscovo. Ele fazia dezoito anos. Era a sua penúltima bala. Disparou.

5. A última bala

Falta uma bala e Moscovo repete:
— Anastácia.
É um nome que soa agora como uma declaração de guerra, um nome estranho, amaldiçoado:
— Anastácia!

As pessoas olhavam umas para as outras. Observavam os seus companheiros de jogo, de tragédia; tentavam perceber se algum daqueles rostos teria coragem de apontar o sítio onde estava uma criança.

As pessoas mediam-se umas às outras, tentavam perceber a que limite os outros tinham chegado enquanto humanos com medo.

Cada um, naquele instante, julgava-se moralmente acima dos restantes. Era claro que não diriam onde estava Anastácia.

Mas talvez isso acontecesse porque nenhum deles estava diante da possibilidade de a localizar. Ninguém via onde estava Anastácia.

Já quase todos haviam localizado Olga, a menina tão esperta que, antes de Moscovo aparecer, tinha resolvido quatro problemas complicados que lhe haviam proposto como desafio; já haviam identificado a posição (D9, D10?) do irmão mais velho, Alexandre, e da irmã pequena, Tatiana, mesmo ao lado, encostada a ele, com a cabeça escondida no seu peito. Já haviam localizado inclusive a posição da Boneca de Tatiana, que ali, por instantes, quase parecia um ser vivo — um potencial alvo, portanto. Se Alexandre estava no D9 ou no D10, a Boneca, junto à sua mão esquerda, estaria no E10, talvez; considerando que a cabeça de Alexandre era o centro da sua posição, o centro do D10; considerando isso, então, a sua mão e a Boneca estariam próximas de um E9 ou E10; isto, imaginando sempre que o Salão tinha, como um tabuleiro de xadrez ou de batalha naval, as suas linhas horizontais e verticais assinaladas.

Haviam também localizado já a outra irmã, Maria, que talvez fosse a mais bonita. Conheciam, pois, a posição de todos os irmãos, excepto a de quem Moscovo queria — a pequenina Anastácia.

Algumas pessoas, conscientemente, optaram por deixar de procurar a pequena Anastácia no meio daquele amontoado de corpos. Não a queriam localizar, não queriam chegar ao ponto de ter uma informação concreta, uma posição exacta, um J9 ou F7, que pudessem denunciar. Dizes ou não? Era nessa situação suspensa que eles não queriam estar. Assim, sentiam um alívio; o sentimento de salvação moral de alguém que, no último instante, consegue manter a integridade. Não sabiam onde estava Anastácia e tal desconhecimento rapidamente se transformou num feito moral: Eu não digo onde está Anastácia!

De facto, ninguém disse onde estava Anastácia. E ao mesmo tempo que os quatro irmãos mais velhos sentiam alívio por ninguém a localizar, estavam também assustados. Anastácia estava perdida.

6. Anastácia!

Moscovo repetiu duas e três vezes aquele nome, aquele nome que era uma maldição:
— Anastácia!
Mas ninguém respondeu.
Por fim, uma voz disse:
— Não a vemos, ela não está aqui.
Uma voz que logo se arrependeu.
Por instantes, todas as outras pessoas pensaram que Moscovo iria disparar sobre a voz que falara. Mas não. Moscovo repetiu só mais uma vez:
— Anastácia?

Moscovo baixa o braço. Tem ainda uma bala e portanto o jogo não está terminado. Aquela pausa, naquele instante, é terrível.

Moscovo, de forma imprevista, levanta agora o braço e aponta a pistola à sua cabeça, junto à orelha.
O Salão está suspenso do tiro. Muitas mulheres e homens baixam os olhos porque o dedo do gatilho de Moscovo está já a contrair-se.
Alexandre tapou os olhos da pequena Tatiana. Se estivessem a brincar, tinha também tapado os da Boneca ruiva, mas agora não estavam a brincar, já tinham percebido isso. O único que estava a brincar era Moscovo.
Maria, a bonita Maria, baixou os olhos, enquanto

Olga, como sempre curiosa, não o fez. Pelo contrário, ali estava com os olhos bem abertos, com toda a sua atenção, a ver os pormenores, o gatilho e o rapaz de dezoito anos com a venda branca, prestes a disparar sobre a própria cabeça.

7. O tiro

Mas Moscovo não disparou. Também não apontou de novo em direcção ao Salão. Apontou, sim, a sua arma para baixo. Não para o chão de mármore brilhante do Salão mas directamente para o seu pé direito. Moscovo fazia dezoito anos nesse dia. Manteve a arma durante uns segundos apontada na direcção do seu pé direito e, depois, disparou.

XII

1. **De novo no Comboio: Moscovo e Ber-lim**
2. **Moscovo — uma nova cabeça**
3. **Os Sinos — uma doença**
4. **A Mãe-de-Moscovo — mãe é mãe**

Moscovo, o Comboio, Ber-lim, Alexandre, Tatiana, Maria, Olga, a Velocidade, os Sinos, o Padre, o Maligno, a Mãe-de-Moscovo

1. De novo no Comboio: Moscovo e Ber-lim

Moscovo levantou-se do seu assento do Comboio e, a coxear, dirigiu-se à janela.
Ber-lim colocou-se ao seu lado logo a seguir.

A cabeça de Moscovo está já fora da janela.
Lá ao fundo vê pontos, conta-os, como se fossem pontos no espaço; isso mesmo, cruzamentos entre uma linha horizontal e uma vertical. Agora está claro: são quatro pontos, quatro cruzamentos entre vertical e horizontal, e esses pequenos pontos avançam.

Os quatro pontos, ainda lá ao longe, correm ao longo da linha de comboio, talvez mesmo pelo meio, é o que parece.
— O que são? — pergunta Moscovo.
Ber-lim responde que estão longe, que não consegue perceber o que são:
— Podem ser animais, quatro coelhos.
— Os animais têm medo — diz Moscovo. — Já tinham fugido. Não podem ser animais.

De perto, os pontos são quatro crianças, Alexandre vai à frente. Estão entusiasmados, a fazer uma corrida entre os quatro. Gritam e brincam, divertem-se uns com os outros. São quatro irmãos, não sabem onde está a Anastácia, mas estão contentes.

Alexandre finge agora que corre menos do que a pequenina Tatiana, deixa-a passar à frente. Maria e Olga estão atrás dele. Os quatro avançam pelo meio da linha.

Já ouviram falar daquele Comboio.

As pessoas dizem, Alexandre ouviu e Olga também, que aquele Comboio, o Comboio que ali passa, vai a uma Velocidade tal que os passageiros perdem o juízo, ficam loucos. São internados num hospício e poucos recuperam.

Mas é o Comboio, o interior, que é terrível. Alexandre não tem medo das linhas férreas, essas não são perigosas.

De qualquer maneira, os quatro meninos não se aperceberam ainda de que o Comboio já vem lá ao fundo. Está longe, para eles não é ainda sequer uma coisa. Está tão longe que ainda faz parte de tudo o resto que o rodeia.

É um ponto, agora, sim, percebe-se, que sai da paisagem, que se destaca, como uma coisa que tivesse sido empurrada para a frente. Olga é a primeira a ver o bicho, muito ainda lá ao fundo. É ela quem faz o desafio a Alexandre, mas as irmãs ouvem, não querem ser tratadas como crianças, também querem participar no jogo. Olga desafia Alexandre para ver quem é o último a sair da linha do Comboio, quem é que tem mais coragem. Diz que Alexandre é um cobarde. Ele ri-se.

Os dois correm e estão tão envolvidos na brincadeira que se esquecem das duas irmãs mais pequenas, Tatiana e Maria, que também querem brincar e por isso também continuam a correr no meio dos carris. Há duas competições: um tenta correr mais rápido do que o outro — e nisso é já Alexandre quem ganha alguns metros — e a outra competição é o desafio de Olga: ver quem tem mais medo. Quem sai primeiro da linha e quem consegue ficar até ao último momento.

Os dois estão entusiasmados, lá à frente; e, atrás deles, a correr muito, vai Maria e, bem mais devagar, mas sem nunca parar, Tatiana.

Do interior do Comboio, Moscovo aponta lá para o fundo, Ber-lim também. Os quatro pontos há muito que se separaram e agora são dois pontos, à frente, depois outro ponto, e bem mais atrás, outro ponto ainda.

O Comboio vai a uma Velocidade impressionante. Moscovo, que se aguenta em pé com dificuldade, quase cai para trás, mas com um movimento firme agarra-se com força ao vidro da janela.

A Velocidade do Comboio é tal que Moscovo e Ber-lim não vão entender o que são aqueles vários pontos. Mas ainda terão tempo para ver que os dois pontos da frente saem da linha e que o outro ponto que vinha a seguir também sai mas, depois, mais nada porque o Comboio avança e continua a avançar e nunca para, senão muito depois, lá ao fundo, bem lá ao fundo, no seu destino.

Aí, dois enfermeiros do hospício esperam por Moscovo, pelo jovem Moscovo que havia perdido por completo o juízo naquela viagem.

Pobre Moscovo, tão bonito, disse alguém mais tarde, depois de ver o tão firme e decidido rosto de Moscovo, agora trémulo, sem a certeza que antes o segurava.

Perdeu o juízo e saiu do Comboio a coxear como se a Velocidade — só poderia ter sido ela — lhe tivesse dado um tiro no pé.

2. Moscovo — uma nova cabeça

Ber-lim está louco.
Moscovo coxeia.
Moscovo ajuda Ber-lim a pensar. Ber-lim ajuda Moscovo a andar.
Já perceberam que a Velocidade do Comboio é excessiva, que nenhum corpo humano resiste.

Moscovo coxeia, mas já recuperou o juízo.
— Foi um susto — disseram-lhe. — Apanhou a superfície do cérebro, o miolo ficou intacto. Um choque eléctrico e agora aí está como novo.
— Como se sente?
Moscovo respondeu que se sentia bem.
— Sete vezes quarenta e cinco? Sem papel nem lápis. Moscovo pensou. Respondeu:
— Trezentos e quinze.
— Leia esta frase. Moscovo leu a frase.
— Entendeu a frase?
— Sim — respondeu.
O enfermeiro colocou o braço em redor dos ombros de Moscovo.
— Você tem dezoito anos, não é?
— Sim.
— Considere que tem uma cabeça nova. Como se tivéssemos ido buscar uma outra cabeça ao armazém; uma cabeça nova aí, em cima dos seus ombros, a substituir a

antiga que não funcionava. Veja isto como uma troca de lâmpadas. A sua cabeça anterior estava fundida. Nós fomos buscar uma nova, desatarraxámos a antiga e trocámos. Ligámos à corrente e a luz acendeu-se: a sua cabeça funciona. Deitámos a sua cabeça antiga para o lixo.

Moscovo sorriu. Gostava daquela brincadeira.

3. Os Sinos — uma doença

Os Sinos batem e o Padre acredita que com esse som o tumor irá desaparecer.

Foi detectado, no belo jovem Moscovo, um tumor Maligno e o Padre está a tocar os Sinos sete vezes de meia em meia hora para exterminar o tumor.

— Não me parece suficiente — diz Moscovo.

4. A Mãe-de-Moscovo — mãe é mãe

Moscovo tem dezoito anos, tem sempre dezoito anos, e a sua cabeça é colocada em cima dos carris para que seja decepada.

O rapaz é arrogante, a Mãe-de-Moscovo tenta corrigi-lo: um par de estalos; é trazido pela orelha como um menino, como um cão dócil, até à linha do caminho de ferro.

A Mãe-de-Moscovo quer provar ao seu menino que ele não é Cristo: encosta a cabeça do rapaz à linha:

— Quando o Comboio se aproximar, aviso. Tem ouvidos só para mim, não ouças o barulho do Comboio, o essencial é isto: que te concentres na minha voz.

Mãe apesar de tudo é mãe, pensa Moscovo. Tem dezoito anos, um pé que coxeia, um pé desfigurado, que não pode ser visto porque é feio, um pé direito que se transformou em pé esquerdo: um pé ainda menos hábil do que o pé menos hábil. Avança, pois, o belo Moscovo, que belo rosto tem ele, mas avança no mundo com dois pés esquerdos, com grande dificuldade em manter um itinerário, mas mãe é mãe, tem de confiar.

XIII

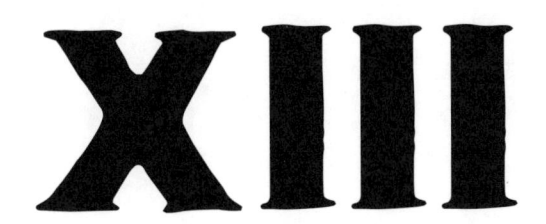

1. **O Professor**
2. **A Casa-Abandonada, a Cama**

XIII

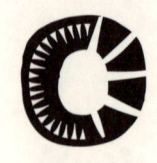

O Homem-Com-a-Boca-Aberta, o Homem-Cruel-Com-o-Pescoço-Largo, o Professor, a Casa-Abandonada-do-Caçador, Alexandre, Olga, Tatiana, Maria

1. O Professor

— Não en-ten-do — diz o Homem-Com-a-Boca-Aberta.

Ao longe, uma multidão aprecia a forma daquele homem estranho manter o espanto diante do cadáver do Homem-Cruel-Com-o-Pescoço-Largo.

Entre algumas pessoas comenta-se aquela boca aberta, fixa, como se os maxilares estivessem paralisados, puxados por fios.

Alguns perguntam-se se será resistência muscular, se será o resultado de uma experiência médica. Admitem que aquele homem não faz pausas diante da variedade dos acontecimentos. Está sempre espantado, surpreendido. Como consegue ele isso?

Querem mesmo convidá-lo para Professor, para ensinar as crianças, para lhes ensinar o espanto. Ele ouve o convite e depois, com a boca sempre aberta, um ligeiro fio de saliva a sair pelo canto inferior esquerdo, diz:

— Não per-ce-bo; não es-tou a per-ce-ber.

2. A Casa-Abandonada, a Cama

O Homem-Com-a-Boca-Aberta recebeu os meninos na Casa-Abandonada-do-Caçador.

— Qua-tro me-ni-nos lin-dos e eu vou co-mer-vos — disse o Homem-Com-a-Boca-Aberta e riu-se. Parecia outro homem.

Alexandre também se riu com o disparate.

— Não têm me-do dos lo-bos? — perguntou o Homem-Com-a-Boca-Aberta.

Foi Olga quem respondeu:

— Não temos medo nenhum.

Mas Tatiana disse que tinha medo. E depois apontou para Maria e disse que a irmã também tinha medo.

Alexandre falou e disse que todos tinham medo do Lobo. Não eram só as irmãs mais novas.

— E não têm me-do que eu vos de-vo-re? — perguntou o Homem-Com-a-Boca-Aberta.

Alexandre e Olga riram-se com o disparate.

Depois Maria perguntou, de forma mal-educada:

— Porque tens sempre a boca aberta?

O Homem-Com-a-Boca-Aberta manteve o rosto impávido. Disse que estava com fome, que estava constantemente com fome e que por isso tinha sido óptimo eles, os quatro meninos, terem chegado. É que estava mesmo com muita fome.

Alexandre riu de novo com a brincadeira. Depois perguntou onde podiam dormir os quatro.

O Homem-Com-a-Boca-Aberta conduziu-os a um quarto:

— A-qui ca-bem três.

— Eu posso dormir noutro sítio — ofereceu-se Alexandre. — Elas têm medo de dormir sozinhas.

Mas Olga não gostava daquilo, não gostava que Alexandre se quisesse sempre exibir. Ela disse:

— Eu durmo sozinha. Alexandre fica a dormir com as mais pequeninas, que têm medo. Eu posso dormir sozinha.

Ficou assim. Olga seguiu o Homem-Com-a-Boca--Aberta que lhe ia indicar onde ela podia dormir.

— A-qui — disse o Homem-Com-a-Boca-Aberta apontando para o lado esquerdo da sua cama.

— E o senhor? — perguntou Olga.

— Eu dur-mo a-qui, no la-do di-rei-to.

Olga sentiu algum medo, talvez devesse chamar alto, gritar pelo nome do irmão. Não gritou. Olhou para o Homem-Com-a-Boca-Aberta que estava ali à sua frente, inexpressivo, com aquela boca sempre aberta e achou que aquele homem era estúpido, que não conseguia pensar. Era um imbecil, não conseguia sequer atar os cordões dos sapatos, não entendia nada.

Não teve medo.

É um homem que tem dificuldades no mais pequeno dos movimentos. É Olga quem tem de o ajudar a fechar a porta do quarto, a rodar a chave, a fechar por dentro. Não há problema, pensa, e deita-se no seu lado da cama, pronta para dormir.

XIV

1. **O Padre e o Nómada**
2. **O Nómada e o Padre**
3. **Pressa e lentidão**
4. **O Comboio e dois vendedores**
5. **O Padre e aquele nome**

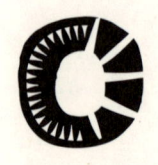

C Padre, o Nómada, a Palavra, a Velocidade, Moscovo-um-Jovem-que-Tem-Sempre--Dezoito-Anos, o Comboio, o Gigante

1. O Padre e o Nómada

O Padre avança pelas estradas desertas. É um salvador ambulante. Avança para salvar, porém alguns homens fogem porque, de longe, o que é Nómada pode sempre ser confundido com o vendedor que não vendeu lá atrás e quer agora vender, aqui, à nossa frente.

— Que vende você? — perguntam-lhe.

O Padre não traz nada, não há mercadorias, não há bagagem.

— Trago a Palavra — diz, tentando falar como os antigos padres falavam.

Rapidamente quatro homens enormes o rodeiam, agressivos.

— Não tem nada para nós.

— Tenho a Palavra — insiste o Padre. — Venho para salvar.

— O senhor é um salvador ambulante.

— Sou.

— Enforquem-no — diz o chefe dos quatro homens.

Pegaram no Padre, atiraram-no ao ar, agarraram-no de novo. Um dos homens deu-lhe um beijo.

— Como se chama, senhor?

O Padre respondeu que não tinha nome, que estava ali para salvar, não para falar de si.

— Enforquem-no — disse o homem que acabara de lhe dar um beijo. — Este Padre aborrece-me.

— Sim — concordou outro.

Os quatro enormes homens levam o Padre até debaixo de uma árvore. Um deles vai buscar uma corda, dois outros vão buscar o que resta de uma linha de caminho de ferro roubada. Um metro de linha, no chão, de cada lado do Padre como se este tivesse direito a ser enforcado por cima de uma linha de comboio desactivada.

— Em que direcção quer ir? — perguntam ao Padre, que está atordoado, não percebe nada do que lhe está a acontecer.

— Quer ficar com a cara virada para norte ou para sul?

— Imagine que esta linha de comboio abandonada ainda está a funcionar, que faz o transporte das pessoas. E que tem dois sentidos. Quer ir para norte ou para sul?

O Padre não responde. Não percebe aquilo. Insiste que os veio salvar.

2. O Nómada e o Padre

Para o Nómada o solo não é um sítio para ficar, para montar casa; o solo é apenas o que não o deixa cair.

O Nómada ali está. Tem dois lados. De frente, o rosto bem nítido, as pessoas da cidade chamam-lhe Padre. Pelas costas chamam-lhe Nómada — porque não lhe veem o rosto e é nele que está toda a devoção. Toda a crença se instalou nas sobrancelhas, no nariz arqueado, na boca, no queixo — a crença está ali como numa habitação sagrada que a cada momento se organiza em espaços particulares — sobrancelha, franzir de testa. Eis o rosto do Padre, um homem crente que leva a salvação aos sítios mais escondidos.

Pelas costas é diferente. O que se vê são as costas de um homem que avança, que nunca tem um destino certo, que caminha a uma Velocidade constante, uma Velocidade que irrita porque tem o ritmo de um motor, de um comboio lentíssimo, mas que quer chegar a horas certas, que mantém o passo. Dá a salvação com a parte da frente do corpo, mas não com a nuca.

Quando o observam por trás só veem uns pés que, excitados, raspam a terra como os touros que se aprestam a irromper a grande Velocidade contra um homem. Na nuca e nos calcanhares, pressa. No rosto, uma paciência que o ofício da santidade lhe ensinou.

— Se te quero salvar, não posso ter pressa. Ninguém é santo se estiver atrasado. Como salvar em passo de corrida? Como salvar em fuga?

3. Pressa e lentidão

A situação é esta. A parte de trás está em fuga: querem matar o Padre. Moscovo-um-Jovem-que-Tem-Sempre-Dezoito-Anos persegue-o para o matar, e o Padre avança numa fuga estranha, insólita.

Enquanto foge quer discursar, enquanto foge quer abrir o livro sagrado e ler uma das passagens, enquanto foge quer dar conselhos, enquanto foge quer ajudar alguém que acabou de cair — e esse acto exige não apenas todos os músculos do ajudante mas também toda a energia da crença.

O Padre foge na nuca e nos calcanhares e nas nádegas e nas costas, mas o seu rosto, pelo contrário, trava e ensina e fala de Jesus, e autointitula-se: salvador ambulante, um vendedor da salvação.

4. O Comboio e dois vendedores

Eis do que se orgulha este Padre: ele só se apresenta aos homens porque os quer salvar, só bate à casa das pessoas porque as quer salvar, só pede ao homem que desça do seu cavalo e que o escute porque o quer salvar, e só levanta um braço fazendo o gesto para que o Comboio se imobilize porque quer salvar cada um dos passageiros.

E o Comboio imobiliza-se. Os homens — metade deles tinha já perdido o juízo e a outra metade estava à beira de o perder —, esses homens, esses passageiros do Comboio, vêm à janela porque ouvem já muitas vozes de vendedores ambulantes, vendedores de fruta e de tecidos. Uma mulher, por exemplo, vende bocados de carne de um animal gigante, é exactamente assim que ela o publicita aos gritos, como se a fome fosse tanta que não interessasse o nome e os hábitos do animal que se devora, apenas o seu tamanho. É comestível o que é grande, eis o que pensa o passageiro que levanta o braço e que o estica em direcção à vendedora. O passageiro paga, fica com a carne, puxa-a pela janela para dentro do Comboio e coloca-a em cima do assento, como se aqueles quilos fossem o corpo de um outro passageiro, mas não são.

Sabe-se de loucos que, após serem submetidos à Velocidade do Comboio, chegam a um ponto tal de inconsciência que perdem a noção de fome, como se deixar de ter fome fosse algo semelhante a perder memória

— mas é bem mais grave. Esse corpo não esquece apenas datas e nomes, esquece o início, a origem primeira, o que esteve na base de tudo, até do Comboio, esquece o organismo, este animal que sabe bem o que é importante: agora comer, agora comer, agora comer, agora comer, agora comer, agora comer.

Avança, pois, o homem meio louco, meio com juízo, avança e come já a carne que veio de um animal gigante e que está sentada ao seu lado, como se fosse um passageiro.

Mas que animal é esse? Por favor, digam o nome da espécie, os seus hábitos, onde cresce e onde se esconde. Porque, se não dizem o nome desse animal gigante, de onde veio a carne que está sentada ao lado do homem que a devora, se não disserem o nome dessa espécie animal, poderemos pensar tudo, poderemos até pensar que aquela carne é a de um Gigante, assim só, eliminando a palavra animal, de um Gigante que antes dominou o mundo e que depois de morto é cortado aos bocados e distribuído aos passageiros do Comboio, através das janelas. E imaginar isso não é bom, não faz bem à cabeça.

5. O Padre e aquele nome

Mas não há apenas carne de um gigante, vendida a preços não muito altos porque todos precisam uns dos outros — os vendedores ambulantes precisam do dinheiro, os outros têm fome. Há ainda o Padre, aquele cuja parte de trás é Nómada que foge — alguém que não quer ficar em nenhum lugar, que não tem destino, e que, ainda para mais, é perseguido. E já sabemos que não há apenas essa parte, há também a parte da frente, a que não tem pressa. E essa parte da frente é a que tenta salvar os passageiros nos poucos minutos de paragem, antes de mergulharem na Velocidade definitiva do Comboio. O Padre tenta, assim, em cinco minutos converter quase loucos em crentes, em pessoas que acreditam em Jesus.

— Conhece Jesus? — pergunta o Padre virando a cabeça para a janela de uma das carruagens.

— Jesus é seu amigo — diz o Padre e insiste naquele nome.

Certamente, pensaram alguns passageiros, alguém importante que os esperava no cais do destino, que os receberia mesmo que eles chegassem loucos. Ou talvez aquele nome fosse o nome do director do hospício.

Jesus, Jesus, eis o nome que alguns passageiros foram a repetir, a murmurar, um nome que perceberam que era importante reter na boca e na cabeça, um nome que não deveriam esquecer em nenhuma situação: como se aquele homem no cais, o Padre, lhes tivesse, afinal, dado o nome de alguém que os poderia ajudar numa cidade nova e desconhecida.

Quando chegassem ao destino, quando se sentissem perdidos, em perigo, deveriam procurar essa pessoa, Jesus, e ele os ajudaria a recomeçarem uma nova vida. Esse nome — pensavam alguns passageiros que já tinham perdido metade do juízo — é o nome que eu não posso esquecer; começar do zero com um único nome na cabeça: Jesus.

Mas as pessoas estavam enganadas ou não perceberam o que o Padre disse. Chegaram ao destino, alguns, e no momento em que os enfermeiros os levavam, por vezes à força, com brutalidade, para celas do hospício, gritaram:

— Quero falar com Jesus, ele conhece-me, sabe por que razão aqui estou. Jesus, chamem Jesus, ele explicará tudo! — gritavam, como se estivessem a ser presos e essa pessoa designada por esse nome, Jesus, fosse testemunha de que eram inocentes.

— Não fiz nada, chame Jesus que ele confirma.

Mas ninguém chamou Jesus, e muitos riram-se.

XV

1. Padre — fuga ao longo do caminho de ferro
2. Encontro do Padre com o homem que não fecha a boca

Padre, o Comboio, a Velocidade, o Homem-
-Com-a-Boca-Aberta

1. Padre — fuga ao longo do caminho de ferro

O Padre sabe que estão à sua procura e que a fuga não pode durar para sempre, mas já viu um itinerário possível. Ele avança paralelo à linha, mantendo-a sempre à vista, como se fosse um rio e ele avançasse ao longo da corrente, naquele caso, do ferro. E, de facto, o ferro, aquela linha enorme, aquelas duas paralelas de metal que avançavam por sítios planos, elevações médias ou por dentro de grandes montanhas, duas linhas de ferro que por vezes curvavam um pouco à direita, subiam, desciam, curvavam à esquerda, mas sempre lado a lado, paralelas, essas linhas de ferro substituíam para melhor o curso de um rio porque elas próprias não avançavam, não se mexiam como a água. Pelo contrário, estavam ali paradas e, pelos números que eram visíveis de cem em cem metros, depois de mil em mil metros, números que estavam marcados no ferro, como um animal marcado com um sinal do dono, esses números permitiam que quem fugia tivesse a noção de quanto andara, de quantos metros, quantos quilómetros, se afastara do ponto original de fuga.

O Padre está, pois, contente. Avança a passo certo já muito longe da estação onde os vendedores ambulantes se haviam cruzado com os passageiros do Comboio. Avança feliz ao lado daqueles números que ordenam a sua marcha.

O ferro ali estava, com os números — 20, depois 21, 22, 23, 24, 25, 26 — que lhe diziam o que já andara ao longo da linha de comboio e que faziam o Padre pensar naquelas duas linhas de ferro paralelas como se fossem um Professor estável, calmo, que simplesmente avançasse.

No entanto, depois do cruzamento das linhas, da linha vertical que se cruzara com a linha horizontal, depois desse cruzamento, os números escritos no ferro que entravam na cabeça como uma lengalenga aritmética que o Padre ia cantando — 76, 75, 74, 73, 72 —, esses números agora decresciam. E, assim, sem saber bem como, sem nunca largar a sua referência, as linhas de ferro, acompanhando sempre esse rio mais moderno, esse rio aperfeiçoado porque com números, eis que o Padre, andando sempre no mesmo sentido, estava agora a avançar em direcção ao zero.

E se alguém se coloca em fuga e, depois de muito andar, se vê a aproximar-se do zero, pode assustar-se, pensar que está a regressar ao ponto de partida, ao ponto onde teve medo; e esse voltar atrás, esse voltar ao zero, coincidindo com o avanço das suas pernas, poderia fazer o Padre perder o juízo, mesmo não entrando no Comboio, mesmo não suportando a sua Velocidade. Como se bastasse andar ao lado do caminho da máquina que produz loucos para ficar louco.

2. Encontro do Padre com o homem que não fecha a boca

Mas o Padre não ficou louco e encontrou o Homem-Com-a-Boca-Aberta.

Pergunta-lhe, de imediato, onde está, como se chama aquela terra, mas o Homem-Com-a-Boca-Aberta não responde. Fica apenas a olhar, como se o Padre fosse um animal estranho, disforme.

O Padre perguntou-lhe depois, subitamente, se conhecia Jesus.
O Homem-Com-a-Boca-Aberta manteve-se com a boca aberta. Nada respondeu.
Pediu-lhe depois para se curvar, para pôr os joelhos no chão; ele, o Padre, iria dizer-lhe umas palavras que o fariam compreender tudo.
O Homem-Com-a-Boca-Aberta só murmurou o que costumava murmurar: que não percebia, que não estava a entender.
O Padre ajudou-o a ajoelhar-se e começou a rezar, pedindo-lhe que repetisse cada uma das suas palavras. Mas o Padre rezou a oração até ao fim e o Homem-Com-a-Boca-Aberta manteve-se em silêncio, a respirar, ofegante — estava visivelmente com medo. O Padre tentou outra vez, mas logo desistiu. Aquele Homem-Com-a-Boca-Aberta não conseguia perceber.

O Padre disse-lhe então que ele devia ter uma única palavra na cabeça e que essa palavra serviria de centro.

— Se conseguir meter essa palavra, esse nome, no centro da sua cabeça, vai ver que nunca se perde. Pode entrar numa floresta e nunca se perde, pode entrar numa cidade perigosa e nunca se perde.

O Padre puxou-o em direcção à linha de caminho de ferro. Pediu-lhe para se ajoelhar, para se curvar e para pôr o pescoço em cima do ferro; o resto do corpo fora, a cabeça dentro, entre as duas linhas, tanto quanto uma pequena cabeça humana pode estar entre linhas que estão afastadas mais de dois metros.

O Homem-Com-a-Boca-Aberta obedeceu, ou deixou-se conduzir, e o Padre ajudou-o a pôr a cabeça mesmo junto ao ferro e, depois disso, recomendou-lhe que se mantivesse assim, naquela posição, até vir o Comboio. Que se mantivesse sem medo com a cabeça em cima da linha, pois se ele conseguisse manter aquela palavra, aquele nome, Jesus, no exacto centro da sua cabeça, se ele conseguisse isso, veria que o Comboio nada conseguiria fazer; que a sua cabeça, com aquele nome no centro, era indestrutível.

E afastou-se porque a nuca e os calcanhares e as costas lhe lembraram que estava em fuga, que alguém lhe queria algures, lá atrás, fazer mal. Afastou-se o Padre, sempre ao longo da linha, e muitos metros depois olhou para trás e, exactamente no sítio onde o havia deixado, ali estava um homem, com a cabeça em cima da linha de ferro, ali estava o Homem-Com-a-Boca-Aberta à espera do Comboio, repetindo — isso o Padre não conseguia ouvir, mas quem estivesse perto conseguiria —, repetindo, baixinho, aquele nome, aquele nome que conseguira colocar no centro da cabeça e que sabia que o faria indestrutível. Jesus, Jesus, Jesus, repetia o Homem-Com--a-Boca-Aberta, em voz baixa, quase inaudível, feliz por ter encontrado uma palavra nova, uma palavra que o fascinava e protegia.

XVI

1. Moscovo e o Cinema
2. Chega o Padre, mas Moscovo está a olhar para outro lado
3. O Padre, Moscovo e a bala

Moscovo-um-Jovem-que-Tem-Sempre-
-Dezoito-Anos, o Cinema, o Comboio, a
Velocidade, o Padre, o Homem-do-Mau-
-Olhado, a Mãe-de-Moscovo, a Cabra-Cega

1. Moscovo e o Cinema

Moscovo-um-Jovem-que-Tem-Sempre-Dezoito-
-Anos não está contente, acordou irritado. Coxeia, mas lidera um grupo de muitos homens, homens já maduros, homens que já mataram muito; ele, um rapaz com dezoito anos, matou com os olhos vendados, mas nunca viu o rosto de um homem morto, fugiu sempre dessa imagem; ele, Moscovo, adora Cinema e pedira uma tela mesmo junto à linha de caminho de ferro.

Uma tela gigante montada ao ar livre para passar filmes enquanto o Comboio não chegava; porque o Comboio fascinava-o — a sua Velocidade era algo a que poderia assistir, de fora, como um espectador, sem se cansar, durante anos. Porém, a Velocidade do Comboio vinha e afastava-se: em poucos segundos era só um ponto lá ao fundo e depois nada. E a memória dessa Velocidade espantosa não bastava. Moscovo queria mais imagens, queria entretenimento para os seus homens e para si próprio enquanto não vinha outro Comboio — e por isso montara um Cinema. Os filmes passavam e ele via-os, um a seguir ao outro, fascinado.

E ali estão Moscovo e os seus homens, sentados no chão, diante de uma tela de cinema, enquanto esperam o Comboio.

Antes da chegada da Velocidade excessiva e perigosa.

2. Chega o Padre, mas Moscovo está a olhar para outro lado

E chega o Padre e fala em Jesus, mas eles querem ver o filme. Primeiro pedem-lhe que se cale.
— Silêncio.
Mas o Padre insiste em gritar o nome de Jesus; e grita também:
— Não olhem para essas imagens. Vocês estão a ver o que foi visto pelo Homem-do-Mau-Olhado. Fechem os olhos, rápido, se não querem ficar cegos.
Moscovo, que estava há muitos minutos calado, falou, ríspido, para os seus homens:
— Enforquem o Padre.
E logo a seguir virou os olhos em direcção ao filme, às imagens.

Esqueceu-se em poucos segundos da ordem que dera porque as imagens eram belas de mais. Moscovo não ouvia nada, não dava atenção a uma única palavra que viesse de outro sítio que não da tela. Poderia a Mãe--de-Moscovo chamar por ele, pedir ajuda, gritar que se estava a afogar, que Moscovo não ouviria, de tal forma estava absorvido pelas imagens.

3. O Padre, Moscovo e a bala

O Padre era um ser humano que enforcado ficava lindo, dizia Moscovo de forma provocadora.

Ele dizia que o Padre, quando balouçava ligeiramente as pernas, acendia uma pequena luz lá em cima, na sua cabeça de morto-enforcado.

Era uma superstição, uma lenda em que acreditava e, por isso, ali estava ele, Moscovo-um-Jovem-que-Tem-Sempre-Dezoito-Anos, com uma pistola em cada anca, preparado para tudo, selvagem e sem medo de nada, a pensar em quantas cidades poderia ainda salvar com as suas armas; sentado no chão, debaixo dos pés do Padre, sem sequer olhar lá para cima, como se estivesse não próximo de uma fogueira mas debaixo da luz eléctrica que vem de um candeeiro alto.

— Temos de espalhar milhares de candeeiros como este — disse, brutalmente, no intervalo entre o fim do assalto a uma cidade e o assalto a outra.

Moscovo era impiedoso, guardava o seu presente de anos, dos seus dezoito anos, como qualquer criança ou adulto guarda um presente dado num momento importante. O seu presente fora aquele jogo da Cabra-Cega. E ele guardava essa prenda — que não fora física, material, não ocupava espaço — na cabeça. Nele, não era a palavra Jesus que estava no centro. Para Moscovo, o centro da sua cabeça era aquele jogo que lhe haviam oferecido; não uma palavra nem um nome, mas uma situação: a Cabra-Cega.

Ele aprendera, entretanto, que matar de olhos vendados ou de olhos abertos era a mesma coisa. Matava como se estivesse vendado e não visse a cara da vítima, como se não visse sequer se as suas balas acertavam num homem ou num animal, na cabeça de um cão, numa parede ou num quadro valioso. Moscovo nem sabia onde iam parar muitas das balas. Como se, de facto, tivessem desaparecido.

E em certos dias, com mais paciência, Moscovo, com os seus homens, procurava uma bala que havia disparado mas não sabia onde estava, procurava essa bala como alguém procura uma criança que se perdeu no meio da floresta. Procurava com ansiedade, mas tentando, ao mesmo tempo, manter uma certa organização, varrendo ordenadamente todo o tabuleiro daquele espaço como se fosse o tabuleiro de um jogo de xadrez ou da batalha naval. E Moscovo só não chamava alto pela bala, como se chama o nome da criança desaparecida, porque tinha uma certa vergonha, tinha apenas dezoito anos e não queria que os seus actos pudessem parecer pouco razoáveis ou infantis.

Porém, era isso que Moscovo se sentia tentado a fazer quando procurava uma bala perdida entre as ervas, ou na cabeça aberta de um homem, ou nos buracos da parede, ou no chão da casa da família que ele e os seus homens haviam fuzilado — quando procurava uma bala perdida, tinha mesmo de se conter para não a chamar alto; sentia que a bala não era apenas um objecto de metal, inanimado; para Moscovo a bala era uma coisa que lhe podia responder, se necessário, ou, pelo menos, que o escutava.

Mas naquele dia não encontraram uma bala, encontraram Anastácia, a bebé Anastácia, finalmente.

XVII

1. **Jogo-das-Cadeiras**
2. **Um homem e Moscovo**

Ber-lim, o Jogo-das-Cadeiras, Alexandre, a Avestruz, Olga, Maria, Tatiana, a Boneca, Anastácia, Moscovo, o Homem-Com-a-Boca-Aberta, o Primeiro-Homem, a Lengalenga

1. Jogo-das-Cadeiras

Ber-lim está contente porque gosta daquele Jogo-das-Cadeiras.

Quando a música para cada um tem que encontrar uma cadeira e sentar-se. É Alexandre quem canta e quando ele se cala todos correm para uma cadeira, mas há um que fica em pé. Esse que fica em pé será devorado pela Avestruz.

Ber-lim gosta daquela brincadeira e os cinco irmãos também.

Há seis cadeiras, sete, não; oito cadeiras. Ali estão os cinco irmãos, mas Alexandre não conta porque é dele que vem a música. É ele quem canta e enquanto cantar todos têm que correr à volta das oito cadeiras, mas quando ele para todos têm que se sentar. Quem ficar em pé será comido.

Oito cadeiras e uma Avestruz, que espera; que tem fome mas espera.

As quatro meninas correm, Alexandre canta. Olga, a irmã tão inteligente, que sabe sempre tudo, a irmã que por vezes é má, precisamente porque compreende tudo, porque percebe antes dos outros o que vai acontecer e quer sempre a parte boa para si; prefere, por exemplo, que os outros sejam apanhados em vez dela, Olga corre. Também Maria, tão doce, também Tatiana, que corre tão pouco e que não larga a Boneca e também Anastácia que corre ainda menos, que não percebe nada — e que ainda não se perdeu, felizmente, daquela vez, e ali está a saltitar atrás das irmãs, tentando imitá-las. E, de fora, Alexandre, que não corre porque é ele quem manda; é ele quem começa e termina a canção.

Quatro meninas, mais Ber-lim, cinco, seis com Moscovo, esse rapaz insolente, de dezoito anos, que está sempre com uma arma junto às ancas, preparado para pegar nela e disparar. Moscovo, que insulta todos, que amedronta, que diz que os meninos que correm pouco serão os primeiros a ficar sem cadeira, os primeiros a irem para a Avestruz. Moscovo, que sorri para Olga, que lhe mete medo, e ela que não tem medo de nada; que tem a mania que é esperta; e é Alexandre quem está a pensar que a irmã deveria ser a primeira a ficar sem cadeira, para aprender a não saber tanto, a não responder tão rápido às perguntas que são feitas a outros, a não falar sempre antes de todos, para aprender a calar-se, a ouvir — é ela quem deve ser a primeira — e é isso que Alexandre vai tentar porque ele tem poder, é ele quem escolhe o momento para parar de cantar, é ele quem pode ver se Olga está mais perto ou mais longe da cadeira, é ele quem, ao medir as distâncias e as velocidades, pode decidir quando suspende a canção e pode tentar fazê-lo quando Olga estiver na pior posição, mais afastada das cadeiras.

Mas Alexandre não vai poder fazer isso, porque Moscovo aproxima-se dele e põe-lhe uma venda nos olhos; Alexandre agora não vê nada, não pode favorecer ninguém, não pode perseguir ninguém. Poderá tentar adivinhar, pela respiração, pelos sons, pela massa que sente mais próxima de si, pode tentar adivinhar, mas nunca conseguirá saber em definitivo e por isso quase aceita o acaso como o elemento que decide quem vai ficar sem cadeira.

Mas Alexandre não quer mesmo deixar aquele jogo ao acaso, quer participar. Tem uma venda, mas mesmo com os olhos cegos tenta seguir o passo, a posição de Olga — é ela quem primeiro Alexandre quer deixar sem cadeira. E o jogo começa. Alexandre canta.

Em redor das cadeiras corre também o Homem-Com-a-Boca-Aberta. Não entende o sentido de se correr para uma cadeira, mas ele gosta de jogar.

Moscovo também corre, mas não corre calado. Pelo contrário, grita: Mais rápido, mais rápido! Empurra Tatiana, ela cai, a Boneca também; felizmente Alexandre não parou de cantar. Tatiana levanta-se, já viu que Moscovo é mau, um rapaz mau.

E eis que ali estão, em corrida, Ber-lim, um homem que perdeu já parte da sua loucura, um homem que parece quase normal, que parece estar a recuperar o seu solo, a sua posição no mundo; está também o Homem-Com-a-Boca-Aberta e Moscovo. Três homens, e depois quatro crianças — sete pessoas a correr em redor de oito cadeiras.

Não faz sentido.

Faltam duas pessoas. É preciso sempre mais uma pessoa do que o número de cadeiras para o jogo fazer sentido, para que sobre um sem cadeira e para que esse seja comido pela Avestruz. Faltam dois. É Ber-lim quem o nota, para a corrida, explica o problema a Moscovo. Moscovo sorri.

Moscovo é o chefe, é ele quem decide, tem uma arma, gosta de jogar. Aponta a pistola a dois homens que estavam a ver o jogo, que queriam só assistir. Aponta a arma a um, depois a outro: os dois para a roda.

Agora sim, nove pessoas, cinco adultos e quatro crianças a correrem em redor de oito cadeiras. Alexandre para de cantar — homens e crianças atropelam-se como podem. Tatiana teve sorte, Anastácia estava mesmo ao pé de uma cadeira, conseguiu. Quem ficou em pé? Quem foi?

2. Um homem e Moscovo

É um rosto estranho, um dos homens que Moscovo obrigou a entrar na roda, no jogo. É o Primeiro-Homem. Moscovo exige que ele leve uma cadeira consigo:

— Para se sentar enquanto a Avestruz pesquisa o interior da sua cabeça. Ela vai tentar ver, de perto, como o senhor pensa, não se assuste com a dor, isso depois desaparece. Leve a cadeira, sente-se debaixo da Avestruz e deixe o resto com ela. Perdeu, por favor não proteste. O menino, Alexandre, olhe para ele. Tem os olhos vendados: não persegue ninguém, não tem culpa, é a sorte, em parte, e também a Velocidade; é preciso ser rápido, você não foi. Tem aqui o seu prémio: leve uma cadeira e sente-se nela. A Avestruz avançará por cima, primeiro sentirá dor, mas depois, nada. Não se preocupe — diz Moscovo e quase sorri apesar de fazer um esforço para manter a seriedade do jogo.

E o homem vai e ficam ainda oito pessoas. E sete cadeiras.

Alexandre recomeça a cantar. Quer apanhar Olga (onde está Olga?), tenta apurar o ouvido. Pensa que a detectou, ali vai ela, agora está longe, pensa Alexandre e para, naquele momento, logo ali, de cantar.

Um alvoroço: Alexandre está de olhos vendados, não percebe nada. Está à espera de um nome. De um nome que o faça perceber quem perdeu, quem foi apanhado. E o nome vem: Jesus, alguém grita, Jesus!

Alexandre não entende. Aquele nome não estava em jogo. Quem foi apanhado? Um ruído enorme, muitas vozes a falarem ao mesmo tempo, gritos e pessoas que choram — e só se ouve esse nome, esse nome de quem não estava no jogo, de quem não estava a correr em volta das cadeiras: Jesus, grita-se Jesus. E Alexandre pelo menos entende isto: é bom naquele momento estar cego, é bom ter os olhos vendados. Tapa mesmo os ouvidos, para não perceber o que se está a passar, para não perceber quem perdeu agora, para ficar só com esse nome na cabeça, Jesus; de olhos vendados e com os ouvidos tapados tenta alhear-se do mundo, do que está a acontecer à sua frente, a dois ou três metros. Para se distrair disso, para fugir disso, Alexandre utiliza aquele nome que alguém gritou várias vezes, Jesus, Jesus, eis o nome com que Alexandre avança para esquecer tudo, porque ele merece, é uma criança, precisa disso, de jogos que não acabem mal, de nomes que, quando ditos, não o façam tremer — e que bom é aquele nome agora, que bem lhe faz agora esse nome: Jesus, Jesus, Jesus; repete sem parar, vinte, cem vezes, mil vezes, e com isso esquece o seu papel naquele jogo, esquece o que tentou fazer a Olga, e, agora, já em voz alta, está a repetir, sem disso se dar conta, o nome de Jesus, e esse nome repetido em voz alta é, para os outros, para os que estão a ouvir e a ver, não um nome mas uma canção e por isso continuam a correr em redor das cadeiras, menos um (quem saiu?), mas continuam, e Alexandre, com os olhos vendados e os ouvidos tapados, não se apercebe que quando parar de gritar Jesus, todos vão correr para uma cadeira e um vai ficar de fora, e esse que ficar sem cadeira vai amaldiçoar até ao seu último instante aquele nome: o último que ouviu e compreendeu.

Depois disso, e depois do castigo da Avestruz, esse homem já não compreenderá nem esse nome nem nada, tudo serão ruídos informes e a sua cabeça estará transformada na cabeça de um animal que perdeu o juízo mas ainda respira; que perdeu a parte de cima da sua cabeça, mas que ainda tem um coração a bater. Jesus!, repete quem acabou de perder o jogo; que nome estranho, que palavra insólita, que palavra perigosa.

E Alexandre, entretanto, retoma a sua Lengalenga que pode ser de morte ou de salvação. Moscovo grita e por isso ainda está lá, ainda não perdeu, ainda não foi apanhado, mas do resto das pessoas não ouve mais nada.

Alexandre não consegue perceber quem ainda está em jogo, não ouve nada senão a voz arrogante e desafiadora de Moscovo. Os outros estão em silêncio como se corressem com um medo que faz com que o corpo se enterre aos poucos.

E eis naquilo em que o Jogo-das-Cadeiras se torna: uma roda aterrada e calada, de corpos pequenos e grandes que não param de correr e, ali, no meio, só uma voz arrogante a assustar os outros, a voz de Moscovo, a voz de um rapaz que fez dezoito anos e se orgulha de não ter medo nem piedade, apenas uma arma e agilidade suficiente, seja qual for a sua posição no momento em que a música se suspenda, para conseguir sempre uma cadeira, nem que seja empurrando e agarrando os outros. Ele acabará sempre sentado, será sempre o último daquela roda; impossível perder um jogo tão fácil, um jogo que disputa com loucos e crianças, eis então Moscovo que, arrogante e absorvido por esta ideia, se distrai no momento exacto em que Alexandre para, se distrai tempo de mais, tempo de mais até para quem, como ele, é muito rápido, é muito forte, é muito ágil.

XVIII

1. **Linhas de caminho de ferro — o Bando**
2. **O Bando na Estepe**
3. **O Bando e a fome**
4. **O Meio, o Bando, o Poço**
5. **A Demolição**

Ber-lim, o Gigante, o Homem-do-Mau--Olhado, o Homem-Com-a-Boca-Aberta, o Bando, a Avestruz, Moscovo, o Arranca--Dentes, o Homem-Torto, Alexandre, Olga, a Estepe, o Padre, o Povo, Tatiana, o Pai-Nosso, a Lengalenga, o Come-Sem-Fome, o Pesa-Pessoas, a Caminhada--Muito-Extensa, o Poço, o Círculo, a Mulher-Sem--Cabeça, o Meio, a Demolição

1. Linhas de caminho de ferro — o Bando

Ber-lim vai à frente, atrás o Gigante, depois, a dez metros, o Homem-do-Mau-Olhado, sozinho, olhos no chão. Outros dois metros, o Homem-Com-a-Boca-Aberta — sem saber bem para onde vai nem para que precisam dele. Já chamam a estes quatro homens: o Bando.

Uma linha de caminho de ferro abandonada. Ficou só o T, ou a cruz de Cristo — um cruzamento.

É preciso cantar para conseguir trabalhar. Os quatro homens cantam a canção do trabalho. Ber-lim e o Gigante fazem os maiores esforços físicos. O Homem-do--Mau-Olhado concentra-se na desmontagem dos enormes pregos que fixam as madeiras centrais aos carris. O Homem-Com-a-Boca-Aberta ainda não conseguiu fazer nada. Olha para os outros três homens e tenta entender onde está.

O centro de gravidade do Gigante está quase ao nível da cabeça do Homem-Com-a-Boca-Aberta. Este tenta convencer-se de que o Gigante não é uma Avestruz e concentra-se nas formas tentando distinguir a cabeça do Gigante da cabeça do animal que receia. Ele reduz quase tudo o que vê a formas básicas: o círculo, o quadrado e a comparações simples. A cabeça da Avestruz é mais pequena do que a do Gigante e o Homem-Com-a-Boca--Aberta fica mais tranquilo.

Dois homens de um lado — Ber-lim e o Homem-

-Com-a-Boca-Aberta — suportando o peso de um metro da linha de ferro desactivada, o Gigante do outro lado: o metro de ferro inclinado.

O Gigante não tem muita força. Os ossos doem, qualquer movimento mais amplo e ágil é impossível. Já não é forte, ainda é alto.

A sua maior utilidade no Bando é assustar. Quando os quatro se aproximam, de longe o que todos veem é o Gigante, dois metros e muito acima do solo — o respeito e o medo rapidamente fazem os bandos rivais afastarem-se. Se soubessem que ele tem já dificuldades em se sentar, que o seu corpo de trinta anos tem a mobilidade de um velho, talvez, se os outros soubessem disso, o Bando não fosse tão eficaz.

2. O Bando na Estepe

À frente do Bando vai agora Moscovo e ao seu lado o mais antigo aliado, o ferreiro, o Arranca-Dentes, o dentista — tudo, esses três nomes, num só. Eis o homem que acompanha Moscovo por todo o lado com uma pequena máquina de guerra, uma máquina que arranca dentes que não queriam sair, dentes que não estavam marcados para desaparecer, dentes que queriam continuar vivos, eis o Arranca-Dentes.

Ao seu lado avança o Homem-Torto, que sabe pintar quadros e cantar; toca instrumentos, e conta histórias que só se podem contar de noite. Mas mais do que narrador o Homem-Torto é um artista, o homem que desenha o rosto dos homens que o Arranca-Dentes apanha na sua cadeira, esses rostos que pedem uma pausa, um adiamento, uma suspensão.

O Homem-Torto vai tapado quase da cabeça aos pés porque dizem que as suas deformidades são impossíveis de suportar pelos olhos de um humano.

O certo é que de debaixo daquele manto onde ele se esconde saem obras de arte, pinturas e esculturas que impressionam. E por isso Moscovo protege o Homem-Torto; nunca toleraria a fealdade próxima de si — ele quer a beleza, e rápido. Os seus dezoito anos toleram o grotesco, a desproporção, o aberrante que ali segue debaixo de uma capa porque sabem que dali também sairão as únicas coisas belas a que aqueles homens terão acesso no meio daquela grande caminhada; uma Caminhada-Muito-Extensa que deles fará novos homens.

Moscovo à frente do Bando. Lá atrás, a uns metros, o Homem-Com-a-Boca-Aberta.
Os meninos ali estão. Alexandre salta para cima do Homem-Com-a-Boca-Aberta e faz dele um cavalinho. Mas é contido, não troça desse animal estranho.
Já Olga sobe também para as costas desse cavalinho e faz o Homem-Com-a-Boca-Aberta andar a quatro patas; humilha-o quando Moscovo está a ver, exibindo-se ao rapaz de dezoito anos que gosta daquilo, da forma como a menina Olga aprende.

O Bando entra na Estepe, nada de um lado, nada do outro. O Homem-do-Mau-Olhado segue na coluna, com os olhos vendados, com as mãos amarradas; e o Padre, que resistente que ele é!, por ordem expressa de Moscovo, não para de rezar, transformando-se a reza numa forma de marcar o ritmo. O Bando avança ao ritmo das palavras que já perderam há muitos quilómetros o seu sentido, e que já nem são palavras, mas quase um hino — sons que dizem que, apesar de cada um ser um bicho diferente e querer avançar para um destino pessoal, todos estão ali, às ordens de Moscovo, o rapaz que tem como amigos o Arranca-Dentes e o Homem-Torto, e que canta uma canção sobre o movimento de um Povo que seguiu quem estava em último.

O Padre cala-se a um gesto de Moscovo. Ber-lim perdeu novamente o juízo há três dias, mas ampara os movimentos desengonçados do Gigante que, no meio do grupo, não para de pedir maior lentidão; tudo lhe dói: os joelhos, as coxas, os calcanhares. O pescoço já não suporta a cabeça, há uma violenta pressão exercida sobre as costas do Gigante que já não aguentam o seu próprio peso; já não se vê um homem inteiro. Pelo contrário, ele sente-se a carregar um peso exterior, mas não há exterior, apenas cabeça, costas, pernas, pés. Eis o que carrega, o Gigante, carrega-se a si próprio, o homem cujo corpo cede por todos os lados.

A pequenina Tatiana, essa, não entende o que sofre aquele homem enorme, de mais de dois metros e trinta e cinco centímetros, para andar, simplesmente, e, por isso, porque não entende, pede para subir às cavalitas — quer ver de cima, quer ver para onde avançam. Com a ajuda de Ber-lim, o Gigante ajoelha-se, mas ajoelhar-se não basta — o homem em pé, sobre duas patas, tem dois metros e trinta e cinco centímetros, sobre os joelhos, tem a estatura de um homem normal —, tem de pôr-se a quatro patas; e tem um certo receio, o Gigante — porque a quatro patas sente-se perdido, vê como veriam os seus joelhos, uma cegueira semelhante; sente-se um animal, um burro gigante.

E ali estão, durante alguns minutos, dois animais simpáticos: o cavalinho — o Homem-Com-a-Boca-
-Aberta que é humilhado por Olga que lhe puxa as orelhas com muita força e lhe dá pequenos estalinhos na cara, perguntando-lhe por que não fecha ele a boca — e, mais atrás, um burro enorme, que leva a pequena Tatiana que não tem ainda idade para fazer coisas cruéis ou para dizer frases más, apenas quer ver do alto,

quer ir às cavalitas, quer que o Gigante deixe de andar a quatro patas.

Ber-lim ajuda, então, o Gigante a levantar-se, as pernas de Tatiana em redor do pescoço. O Gigante treme, não pelo peso insignificante da menina mas porque ele próprio já perdeu o controlo dos músculos. Mas levanta-se, e Tatiana, lá em cima, dá um grito de contentamento; avançam.

Ber-lim não entende por que razão o Padre não se cala, por que insiste naquela ladainha, mas depois percebe que é esta quem manda nos pés de todos, até nos de Moscovo que, já sem o notar, avança, agora na Estepe, ao ritmo do Pai-Nosso que estais no céu santificado seja o vosso nome.

As crianças ouvem Moscovo como se ele não tivesse dezoito anos mas sim cabelos brancos e os ensinasse. Moscovo é o único homem armado e ao seu lado tem o Arranca-Dentes, que só entende a língua em que Moscovo fala. Não entende uma única palavra que os outros lhe dirigem. É Moscovo quem lhe traduz tudo, daí o seu ascendente — é o grande tradutor. Mas engana-o constantemente. Diz ao Arranca-Dentes que o Homem--Com-a-Boca-Aberta acabou de o insultar.

O Arranca-Dentes está furioso, mas mantém a calma: não grita, não faz gestos bruscos. Senta o Homem--Com-a-Boca-Aberta na sua terrível cadeira.

Moscovo diz que não, que precisam da língua do Homem-Com-a-Boca-Aberta. O Arranca-Dentes insiste: quer arrancar-lhe a língua, fazê-lo mudo. O Homem-

-Com-a-Boca-Aberta não entende. Mandam-no sentar e ele senta-se. Olga deixou de ter o seu cavalinho e protesta. Alexandre pede que ela se cale.

O Arranca-Dentes pega nas suas ferramentas de ferreiro, Moscovo tira a pistola, aponta-a ao Arranca-Dentes:

— Precisamos da língua dele — insiste —, não a vamos cortar.

O Homem-Com-a-Boca-Aberta não percebe a confusão instalada, põe a língua de fora, entendeu que era isso que lhe pediam: a língua de fora como se estivesse diante de um médico e não diante de um ferreiro, do Arranca-Dentes.

A mão direita do Arranca-Dentes faz rodopiar o instrumento com que costuma cortar os metais. E aquilo não é um metal, não resiste como um metal, é simplesmente uma língua. Com o instrumento que tem na mão cortaria aquela língua sem precisar de a aquecer a grandes temperaturas como faz ao metal antes de o moldar. Não precisa do fogo, pode moldá-la a frio, material dócil de mais. O ferreiro pousa o instrumento cortante que tem na mão.

— Avançamos? — pergunta Moscovo com a pistola apontada à cabeça do Arranca-Dentes.

O Arranca-Dentes diz que sim e alguém murmura ao Homem-Com-a-Boca-Aberta que se pode levantar. Ele levanta-se, pergunta o que é para fazer agora. Moscovo diz que é para avançar. A língua? Não foi cortada. O Arranca-Dentes obedeceu. O grupo avança, começa a ter fome. É uma grande marcha, não é um grande salto, mas já andaram muito.

Moscovo tem muitas moedas na mão. Quer pagar ao Padre que não se calou um minuto. Quer também pagar ao Arranca-Dentes, o mais belo ferreiro, o mais belo cirurgião, o amigo mais importante. Dá mais moedas ao Padre do que ao ferreiro Arranca-Dentes. O Padre agradece, o Arranca-Dentes sente-se insultado, diz a Moscovo que a sua tarefa é bem mais importante. Moscovo não responde. Prossegue a marcha, e prossegue o Padre com o Pai-Nosso a marcar o ritmo das pernas e patas que ali vão.

Até a Avestruz entende a importância daquela Lengalenga do Pai-Nosso; assim ninguém se atrasa. Até os meninos entendem por que razão o Padre recebeu mais moedas. Só o Arranca-Dentes não ficou contente. Tem os instrumentos de ferreiro e espera pelo seu dia, pelo seu momento. Nem sempre, pensa o Arranca-Dentes, Moscovo estará tão forte.

Ber-lim tropeça, o Gigante quer ajudá-lo, faz um movimento brusco, Tatiana cai, magoa-se. O Gigante pede desculpas, levará Tatiana nos braços. É o seu castigo. Os braços doem-lhe, mas não pode ceder.

Moscovo põe a mão na testa. Olha como se fosse um profeta ou tivesse binóculos, como se estivesse a ver coisas, elementos, animais, homens, que os outros não conseguem ver.

Tem dezoito anos, mas orgulha-se de saber mais línguas e de ver mais. E é o único que tem uma arma de fogo.

As armas do ferreiro só matam quem está próximo. É seu amigo, é o seu maior companheiro, mas Moscovo não deixa que o ferreiro Arranca-Dentes se aproxime. À distância ele manda no ferreiro, próximos um do outro é o ferreiro quem manda nele. A distância define o chefe, pensa.

Moscovo respeita Ber-lim, mas este perdeu o juízo. É ao Homem-do-Mau-Olhado que Ber-lim pergunta para onde devem ir. Se pelo caminho mais curto, se pelo caminho mais longo.
O Homem-do-Mau-Olhado, vendado, mãos amarradas atrás das costas, concentra-se no horizonte, como se estivesse a ver algo, mas não há nada. A Estepe prolonga-se sem fim.
— Vamos pelo caminho mais curto — diz o Homem-do-Mau-Olhado.
Moscovo sorri, acena com a cabeça. Todos avançam pelo caminho mais curto.
A Avestruz vai atrás, fecha o avanço do grupo. O seu passo faz ondular a sua pequena cabeça. O seu modo de andar é quase divertido, cómico. Está com fome.
Estava perdida e viu aquele grupo — decidiu segui-lo, sem intervir. Segue-os assim, obediente — pelo menos até deixar de estar perdida. Depois fará o que costuma fazer: obedecer à sua fome, cumprir a sua missão.
Os meninos avançam um pouco à frente do animal. Simpatizam com a Avestruz. Riem-se com a sua forma de caminhar, tão diferente da forma como caminham os outros todos. É bem divertida, a Avestruz, enquanto não tem fome.

3. O Bando e a fome

À Avestruz chamavam o Come-Sem-Fome e esse era um nome que assustava.
— Vem aí o Come-Sem-Fome — diziam às crianças. — Fujam!
Nada de mais terrível do que comer sem fome.

E ao Gigante chamavam agora o Pesa-Pessoas porque era ele, quando o Bando atacava alguém, quem começava por pegar no humano e pesá-lo, levantando-o no ar e sentindo a tensão, maior ou menor, que empurrava para baixo. Pesava as pessoas com os braços e dividia a carga em grande e pequena — a que alimentava uma família, a que alimentava um homem.
O Pesa-Pessoas perdera voz e raciocínio e já não mandava no mundo, mas Moscovo gostava dele, do Gigante. Era simpático, dócil, útil; uma balança portátil, aquele homem gigante, balança que também comia.

O Come-Sem-Fome era perigoso, por isso era conduzido com uma corda em redor do pescoço; controlado como uma fera, ele que apenas tinha um bico e que um tiro nos miolos rapidamente o faria em pedaços; mas levava aquilo, aquela característica medonha que se transformara numa arma, como se fossem garras, dentes ou uma Velocidade extrema, uma arma — o seu apetite —, uma arma que aterrorizava.

O Come-Sem-Fome era de um outro mundo, organismo raro, um extraterrestre que jamais saciava o estômago, ao contrário do que sucedia com as outras espécies animais, as grandes, as pequenas, as racionais, as loucas, as estúpidas — o elefante comia até deixar de ter fome, o homem comia até rebentar, mas aí parava, e também a formiga, os insectos, os bichos mais pequenos, que só um microscópio encontrava, até as pulgas tinham um limite para o estômago. E por isso a Avestruz, o Come-Sem-Fome — naquele seu andar elegante, a duas patas, de bailarina, com a sua cabeça quase simpática quando vista de lado — era afinal a expressão do horror, do sem-limite que era capaz de comer o Gigante e continuar com apetite, era capaz de comer o Pesa-Pessoas e as pessoas todas que ele pesasse e continuar com fome. Este era o horror levado por Moscovo e pelos seus homens, como uma máquina de guerra terrível, uma última invenção técnica. Como se aquele Bando transportasse a mais recente máquina, aquela de que todos desconheciam o funcionamento, mas sobre a qual havia notícias de ser devastadora. Como se levassem um canhão, pela Estepe, em pleno século XIII, século em que essa arma era ainda um sonho em desenhos de loucos.

O Come-Sem-Fome é um nómada e come em andamento, come quando para, come quando corre a grande velocidade; no fundo, come para se distrair, come porque tem tédio, come porque não pode estar sempre a dormir, come porque não tem nada em que pensar, come porque não percebe as distracções dos humanos ou dos outros animais, come porque não entende os jogos nem as regras, come porque não se distrai, come porque não pensa, come porque tem tempo e também porque tem pressa. Ali vai, pois, a terrível arma de Moscovo, a Avestruz, e ao escutarem o seu nome — Come-Sem-Fome — as aldeias ficam vazias, os velhos fogem, as mulheres fogem, as crianças fogem, os homens fortes fogem —, as cidades mais avançadas ficam rapidamente desertas; e eis, então, que alguns mistérios do passado são resolvidos com esta resposta: foi o Come-Sem-Fome; foi o anúncio da sua chegada que esvaziou impérios.

Esse bicho que não é bicho, essa máquina de comer que não é máquina, eis o Come-Sem-Fome, o que anuncia o medo. Como Moscovo se orgulha dele!

4. O Meio, o Bando, o Poço

O Homem-do-Mau-Olhado tem uma venda e fala de um homem que é empurrado para o Meio, que não consegue sair do Meio; que tenta aproximar-se dos limites, da fronteira, mas não lho permitem. Há milhões de homens e mulheres empurrados para o Meio. Não podem sair, eis a ameaça. O homem empurrado para o Meio pede ajuda. Escapar, fugir — mas não. Não pode sair dali.

— Há ali um Poço — diz o Homem-do-Mau-Olhado, apontando.

A Mulher-Sem-Cabeça também está ali e escava, às escuras, como se tivesse os olhos vendados, mas nela a venda é mais profunda, mais duradoura, explica Moscovo. É uma mulher do pescoço para baixo, do pescoço para cima é nada, é menos do que um animal, porém é coisa que não horroriza, os homens habituaram-se.

A Mulher-Sem-Cabeça escava ao mesmo ritmo que os outros e Ber-lim cede à sua loucura de uma forma imprevista: escava dois buracos, lado a lado, como se não bastasse um. A Mulher-Sem-Cabeça avança no seu trabalho, e o Gigante, o Pesa-Pessoas, tem um martelo na mão que utiliza como arma, vigiando em redor. Avança em Círculo, protegendo as escavações do Bando.

O martelo é uma terrível arma de combate, para mais nas mãos de um homem de dois metros e trinta e cinco centímetros. O martelo, se cai na parte de cima de uma cabeça abre-a por completo, fazendo-a rebentar em estilhaços. O Pesa-Pessoas deixa cair o martelo sobre um muro para sentir a força desse utensílio. O muro abana mas não cai. Outra pancada: a parte de cima cai, mas só essa.

O Pesa-Pessoas, o Gigante, quer mesmo utilizar o martelo, sente-se estúpido protegendo o grupo de nada. Quer uma cabeça ou um muro.
Ali está o muro de novo; levanta o martelo e deixa-o cair. Os movimentos desengonçados, sem eficácia, metade da velocidade e do peso são aplicados noutro ponto qualquer — o muro quase não treme. Uma criança com o mesmo martelo provocaria danos semelhantes no muro. O Gigante está cada vez mais descoordenado.

Mas é ele quem ajuda a Mulher-Sem-Cabeça e Moscovo a colocarem a enorme cruz de madeira, uma cruz que em pé era maior do que o Pesa-Pessoas, em cima das costas do Homem-Com-a-Boca-Aberta. Convenceram o Homem-Com-a-Boca-Aberta de que ele era Jesus. Ele acreditou e só por isso aguentou aquele peso.

Ali está, o Homem-Com-a-Boca-Aberta avançando já pela cidade, com Moscovo à frente, anunciando a chegada do seu Bando. Ao seu lado, o Gigante com o martelo, ameaçando.
A cidade está vazia e só há lobos. O Gigante quer desfazer a cabeça dos lobos com o seu martelo, mas tem dois metros e trinta e cinco centímetros, e as cabeças dos lobos estão muito baixas, estão à altura das suas canelas.

Sente falta da altura humana, a altura que coloca as cabeças no ponto perfeito para as desfazer com o martelo.

Com os lobos, o Gigante vê-se obrigado a ajoelhar--se. Combate os lobos de joelhos, não tem mobilidade mas está agora com a altura perfeita — acerta num e noutro, dois lobos com a cabeça desfeita; os outros percebem, afastam-se.

O Homem-Com-a-Boca-Aberta pode avançar carregando a cruz. Moscovo tem um papel nas mãos, vai lendo as novas leis.

5. A Demolição

O Bando tentou demolir uma casa apenas com a cabeça, mãos e pés.

O Bando não conseguiu: Ber-lim magoou-se no punho esquerdo; Moscovo abriu a cabeça, tem sangue a escorrer na testa; a Mulher-Sem-Cabeça, desorientada, esmurrou o tronco do Gigante; o Gigante não coordenou bem os movimentos, aplicou a sua força num ponto desajustado: contra a terra, como se julgasse que conseguia abrir o chão em dois com a força dos punhos.

O Homem-Com-a-Boca-Aberta ficou apenas a olhar para aquilo tudo, para o que parecia o espancamento de um edifício, um acto cobarde: vários homens para um edifício sozinho, isolado, sem defesas.

A casa não cedeu. Não foi demolida. Nem sequer conseguiram entrar nela. A porta era de ferro.

O Pesa-Pessoas foi buscar o seu martelo de guerra: deixou cair duas fortes pancadas sobre a porta, nada.

O Come-Sem-Fome assistiu a tudo. Moscovo prometera-lhe a pessoa do Bando que trabalhasse menos na Demolição. As cinco crianças não fizeram nada. Ficaram a ver.

Alexandre, quase no fim, participou com um pequeno pontapé na porta que não a fez mexer nem um centímetro. As outras crianças não fizeram nenhum movimento. O Homem-Com-a-Boca-Aberta também ficou ali, à distância, a ver, apenas.

O Come-Sem-Fome está afastado do Bando que tenta a Demolição. Espera o prémio, prometido por Moscovo. Observa atentamente o esforço. Fixa-se em quem trabalha menos.

Tem um cérebro pequeno, tem fraca memória, mas tenta fixar o rosto dos que não participam na Demolição. Esforça-se por fixar os traços do seu próximo alimento.

No final Moscovo não ofereceu ninguém ao Come--Sem-Fome, à Avestruz. Esqueceu-se ou não quis.

O Come-Sem-Fome ficou irritado, sentiu-se traído. Tentou fixar a cara de Moscovo para quando tivesse oportunidade de se vingar. Mas o seu cérebro era pequeníssimo. Rapidamente esqueceu os rostos. Só permaneceu no seu cérebro essa vontade de vingança. E a fome, imensa fome.

XIX

1. **Olga e o Homem-Com-a-Boca-Aberta — o Relógio**

Olga, o Homem-Com-a-Boca-Aberta, a Casa-Abandonada, Alexandre, Maria, Tatiana, o Relógio

1. Olga e o Homem-Com-a-Boca-Aberta — o Relógio

Olga dormiu na Cama do Homem-Com-a-Boca--Aberta e agora quer a recompensa.

Põe o Homem-Com-a-Boca-Aberta a quatro patas e sobe para cima dele. Dão voltas e voltas ao quarto da Casa-Abandonada-do-Caçador, com Olga a dar pequenas patadas no tronco do cavalinho com a boca aberta.

Há uma janela no quarto. Olga exige uma circunferência perfeita, e que o ritmo seja uniforme. Cada vez que passa pela janela, diz adeus a Alexandre e às irmãs que estão no quarto ao lado. Alexandre, Maria e Tatiana só veem o corpo de Olga, a sua mão que diz adeus. Não conseguem ver que em baixo dela está o Homem--Com-a-Boca-Aberta que faz gentilmente de cavalinho há mais de duas horas.

Olga quer imitar o movimento do Relógio. Ela é o ponteiro dos minutos e quando se aproxima da janela e levanta o braço é porque passou um minuto. É por isso que quer que o seu cavalinho mantenha um ritmo certo. Uma volta ao quarto e ali está Olga a levantar de novo o braço e a dizer adeus aos irmãos pela janela, contente por dominar o mecanismo daquele Relógio que ela inventou, e que bem merece depois de ter dormido naquela cama.

O Homem-Com-a-Boca-Aberta não percebe o que

Olga faz em cima dele, não percebeu ainda que ela diz adeus aos irmãos, não entende que faz parte do mecanismo que Olga inventou. Já deu cem mil voltas ao quarto e ainda não entendeu que é um Relógio.

Olga incita-o a manter o ritmo, a não acelerar nem abrandar, incita-o com pequenas palavras e com breves pancadas no tronco; por vezes, uma ou outra na cabeça, na nuca.

Está contente com o Relógio que tem. Nunca soube as horas exactas e aquele Relógio, que ali leva, debaixo de si, é o mais próximo de um Relógio de pulso que ela nunca teve; gosta do cavalinho, e como o cavalinho se está a portar bem, Olga, se necessário, irá deitar-se de novo ao seu lado na cama.

Mas ainda falta muito para ser noite e Olga exige ainda muitas voltas naquele carrossel.

Os seus irmãos já saíram da Casa-Abandonada (onde está Anastácia?) mas ela continua, contente que está com o mecanismo que inventou. Cento e cinquenta mil voltas ao quarto e o Homem-Com-a-Boca-Aberta não se cansa. Olga nunca viu nada assim.

Olga salta, então, subitamente do Relógio em movimento e percebe que o cavalinho se habituou àquilo, que continua já sem montadora, a andar à volta, a cumprir o seu ofício.

Olga pensa nos burros que avançam horas sem fim, em círculo, para que a água circule numa nora. Mas ali o que espanta a sua inteligência é que, mesmo sem ela estar em cima dele, aquele burro avança em círculos, como se, de facto, tivesse assumido a sua função até ao fim.

Não se trata de transportar água para qualquer ponto, não se trata de fazer força com um qualquer objectivo, trata-se simplesmente de ter encontrado um trajecto que o acalma, um percurso que compreende, um itinerário que vai ao encontro das suas expectativas, das suas forças, do seu pensamento.

E eis que Olga sorri, mas de imediato se controla. Aquele Relógio não para de funcionar e o mecanismo é composto apenas por um Homem-Com-a-Boca-Aberta — e tal, pensa, é admirável. O Homem-Com-a-Boca--Aberta parece ter encontrado o caminho certo e Olga inveja-o. Ele nem vai pelo caminho mais curto nem pelo caminho mais longo. Dá voltas, em círculo, sem cessar, à volta do próprio quarto, e Olga está estupefacta com aquela capacidade de resistência e não o quer interromper. Tenta não fazer barulho, sai do quarto, volta uns minutos depois e põe um prato cheio de comida perto da linha seguida pelo burro que não transporta água mas tempo; é isso que percebe agora, aquele burro transporta tempo, e Olga está fascinada com a resistência, com a paciência, com a tolerância, com a simpatia, eis a palavra que procurava, com a simpatia daquele Homem-Com--a-Boca-Aberta.

É, de facto, um homem simpático, o homem mais simpático que já conheceu. É também por isso, e porque gosta de ver aquele movimento em volta do quarto, sem cessar, que Olga pôs o prato com a comida mesmo junto à linha por onde aquele mecanismo louco passa. O Relógio tem comida e Olga sente que fez o que podia pelo louco. E por isso afasta-se, sai do quarto, da casa, e corre pela rua, como se de repente a admiração pela força, paciência e simpatia daquele homem se tivesse transformado em pavor, em terror indescritível. Aquele homem, que no quarto continuava à roda, jamais esqueceria aquilo, a humilhação.

Mas enquanto Olga corre muito, assustada, no quarto o Relógio prossegue e o Homem-Com-a-Boca--Aberta parece ter encontrado a tarefa que procurava — não para de andar num círculo quase perfeito — e está tão inebriado com aquele movimento que até ignora o prato com comida e, assim, mais tarde, encontrarão o burro exausto, inanimado, caído no chão, cheio de fome, com comida ao lado, mesmo ao lado do seu trajecto.

O problema era precisamente esse — Olga havia posto o prato ao lado e não em cima da linha e por isso o Homem-Com-a-Boca-Aberta não o vira porque na sua cabeça e na sua visão havia apenas uma coisa: uma linha imaginária, uma linha que não existia no chão do quarto mas era clara na sua cabeça, uma linha curva, que andava às voltas e da qual os seus olhos não se conseguiam desprender — pois se o fizessem ele falharia o movimento, transformaria o círculo num trajecto caótico, numa linha sem ordem e sem ritmo — e ele não queria falhar.

Só com o prato em cima da linha, interrompendo ostensivamente o trajecto, o louco conseguiria perceber o que estava em causa: ele não era assim tão forte enquanto mecanismo, precisava de comer! E se o tivesse percebido, se não tivesse sido tão ambicioso, não teria caído inanimado, fraco, já sem qualquer vestígio dessa força sobre-humana que antes manifestara.

Olga não é má, mas nessa altura já está muito longe.

XX

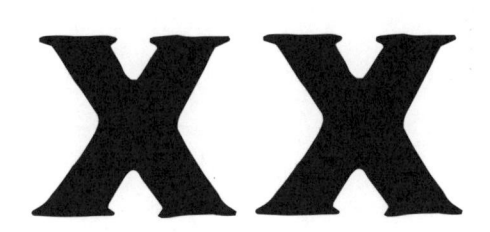

1. **Epílogo: Alexandre**
2. **O Vento**
3. **Os Ratos**

CVento, Alexandre, Ber-lim, o Homem-Com-
-a-Boca-Aberta, Moscovo, o Comboio, o Rato-Grande, Olga, Maria, Tatiana, Anastácia

1. Epílogo: Alexandre

Às cinco horas da tarde, o Vento faz o que nunca tinha feito: deita abaixo Alexandre.

Ele levanta-se, mas de novo é derrubado.

E outra vez — e outra vez derrubado.

Alexandre tem medo, agora, e já não se levanta. Decide deixar que a tempestade passe.

2. O Vento

Alguém conta a história daquele Vento que vem de um dos pontos de acupunctura do mundo.
O Vento provoca suicídios e loucura.

Ber-lim sobe a um rochedo e expõe-se ostensivamente ao Vento. Pensa de forma clara: Se o Vento provoca a loucura também será capaz de tornar saudáveis os loucos.
— Endireita a minha cabeça — pede Ber-lim.
Mas o Vento vem e só lhe mexe no cabelo, não faz nada.
Ele grita alto e depois desce do rochedo e chama pelo Homem-Com-a-Boca-Aberta.
— Vou curar-te — diz.
Moscovo também está ali. Os dois homens entendem-se. Põem uma corda ao redor do pescoço do Homem-Com-a-Boca-Aberta que já está com os braços presos atrás das costas. Amarram-no para ele ficar curado, batem-lhe três vezes no rosto para o curarem. Os dois afastam-se. Deixam o louco de boca aberta preso, ali, de frente para o Vento.
— Isto vai pôr-lhe a cabeça no sítio — murmura Ber-lim.
— Quem conseguir fechar-lhe a boca consegue curá-lo — diz Moscovo.
Por aqueles lados, o número de suicídios é gran-

de. As pessoas atiram-se de torres, de igrejas, dos locais a que subiram para admirar as paisagens, das casas, põem-se à frente do Comboio, pedem aos amigos que os degolem, uns imaginam-se ratos, ninguém os para depois daquele Vento.

3. Os Ratos

O Rato-Grande contorce-se com dores, a boca bem aberta.

Deve ter sido envenenado, algo aconteceu. Como se os seus movimentos rodeassem sempre o seu pequeno estômago.

O que está a acontecer ao rato, pergunta-se Alexandre e debruça-se sobre ele; baixa as pernas, aproxima o dedo.

De imediato, o rato salta em direcção à mão com um guincho medonho e depois há ainda outros dois enormes guinchos — um vem de novo do rato, o outro vem do menino. Mas quem está fora, quem está do outro lado da porta, pensa que lá dentro estão dois ratos, dois ratos iguais, que guincham.

O que tem o rato?

Olga está curiosa.

O que lhe parecia um rato são afinal dois e contorcem-se com as patas em redor da barriga como se tivessem sido envenenados.

Olga avança um pouco, mas tem medo. Aproxima-se mais porque os ratos deixaram de guinchar. Observa, pergunta-se a si própria se estarão mortos e baixa ligeiramente o rosto para o confirmar — e é então que os ratos saltam e lhe mordem a cara, muito maus.

É Maria quem agora é atraída pelos guinchos: três ratos, três nojentos ratos, mas Maria não tem nojo dos animais, eles guincham, devem estar envenenados. Maria pega num deles, no Rato-Grande, o de boca aberta, e balançando-o entre as suas mãos, como se fosse um bebé, atira-o pela janela. Subitamente, os outros dois atacam Maria. Têm ciúmes, mordem a menina.

Os guinchos irritam Tatiana. Ela vai lá. É do outro lado da fechadura. Tatiana abre lentamente a porta que faz ruído. Um rato, vê Tatiana; o outro ali, no canto. E ainda outro, em cima da mesa. São três ratos, três. Tatiana prepara-se para os matar. Que tem a pequenina Tatiana na mão para matar os ratos? O que tem ela? Tem isto: uma pistola que roubou do armário, uma pistola que mal tem força para segurar.

Está armada, a pequena Tatiana, e a arma tem balas. Tatiana aponta para o primeiro rato e dispara. Abana muito a mão, mas acerta no rato. Está morto. É o primeiro.

Agora, o segundo, onde está ele? Ali, no mesmo sítio, como que paralisado de medo — os ratos têm medo, não é só a pequena Tatiana que tem medo. Mas Tatiana tem uma pistola. Aponta para o rato que tem medo e que está parado em cima da mesa. Dispara, acerta. O segundo rato.

Tatiana procura o terceiro (onde está o terceiro rato?), dá um passo, outro, ainda outro. Escondeu-se, o rato; abre a porta de um armário, outra porta, o rato não está ali.

Tatiana olha à sua volta. Tem uma arma e balas. Já percebeu o peso da arma e já a controla melhor. Ali está, finalmente, o terceiro rato, que foge.

Um tiro, mas Tatiana falha. Outro tiro em direcção ao rato que foge, mas de novo falha. O rato tem tanto medo que corre muito, corre como nunca correu. Que belo atleta este rato com medo, pensa Tatiana, e de repente lembra-se de que a sua arma tem um número limitado de balas, é necessário acertar; duas balas tem ela, duas, não, uma, agora, sim, percebe, uma bala apenas. Tem de acertar no rato. Rato atleta, onde está tu?, diz Tatiana baixinho. Há dois ratos mortos, um em cima da mesa, outro no chão, o ventre de um está cá fora, o outro não se vê porque está do lado oposto.

Mas lá está o terceiro rato, de novo, agora, sim, Tatiana vê-o bem. Não tem por onde fugir, o atleta não tem sítio por onde correr. Tatiana aponta e dispara. Acerta, mata o terceiro rato. Tatiana está feliz, até porque já não tem balas. Três ratos mortos e Tatiana contente. Mas há um guincho atrás das costas de Tatiana. É o segundo rato, afinal não estava morto. E Tatiana não tem tempo para reagir, é mordida.

A pequenina Anastácia entra chamando pelos irmãos. Dá um grito: um rato passa à sua frente. Outro passa noutra direcção. Dois ratos vivos. E Anastácia agora vê o resto: mais dois ratos, dois ratos mortos.

Anastácia é bebé, perdeu-se dos irmãos. Chama por eles. Não quer ver ratos, nem vivos nem mortos, quer ver os irmãos.

Sai, deixa os ratos entretidos (com o quê?) — como sabe ela o que fazem quando estão sozinhos e dois estão mortos e dois estão vivos? Que sabe a bebé Anastácia de ratos?

Ela sai da Casa-Abandonada e chama pelos irmãos. Eles não aparecem — ou porque estão mortos ou porque são ratos.

Anastácia, essa, está de novo perdida. E está tão contente!

COLEÇÃO GIRA

A língua portuguesa não é uma pátria, é um universo que guarda as mais variadas expressões. E foi para reunir esses modos de usar e criar através do português que surgiu a Coleção Gira, dedicada às escritas contemporâneas em nosso idioma em terras não brasileiras.

CURADORIA DE REGINALDO PUJOL FILHO

1. *Morreste-me*, de José Luís Peixoto
2. *Short movies*, de Gonçalo M. Tavares
3. *Animalescos*, de Gonçalo M. Tavares
4. *Índice médio de felicidade*, de David Machado
5. *O torcicologologista, Excelência*, de Gonçalo M. Tavares
6. *A criança em ruínas*, de José Luís Peixoto
7. *A coleção privada de Acácio Nobre*, de Patrícia Portela
8. *Maria dos Canos Serrados*, de Ricardo Adolfo
9. *Não se pode morar nos olhos de um gato*, de Ana Margarida de Carvalho
10. *O alegre canto da perdiz*, de Paulina Chiziane
11. *Nenhum olhar*, de José Luís Peixoto
12. *A Mulher-Sem-Cabeça e o Homem-do-Mau-Olhado*, de Gonçalo M. Tavares
13. *Cinco meninos, cinco ratos*, de Gonçalo M. Tavares
14. *Dias úteis*, de Patrícia Portela

LIVRARIA DUBLINENSE

A LOJA OFICIAL DA DUBLINENSE, NÃO EDITORA E TERCEIRO SELO

LIVRARIA.DUBLINENSE.COM.BR

Este livro foi composto em fontes MINION e WHANGAREI e impresso na gráfica PALLOTTI, em papel LUX CREAM 70g, em ABRIL de 2019.